LES ÉPISTOLIERS

DU XVIIIE SIÈCLE

LES ÉPISTOLIERS
DU XVIIIᵉ SIÈCLE

Mme DE STAAL = PRÉSIDENT DE BROSSES
VOLTAIRE = MIRABEAU = Mme DU DEFFAND
=== Mlle DE LESPINASSE = Mme D'ÉPINAY ===
FRÉDÉRIC II = Mme ROLAND = CATHERINE II
===== LE PRINCE DE LIGNE =====

EXTRAITS

LA RENAISSANCE DU LIVRE
ÉD. MIGNOT ÉDITEUR
78, Boulevard Saint-Michel. — PARIS

AVERTISSEMENT DES ÉDITEURS

Le XVIIIe siècle a été, en France, le siècle de l'esprit. Les salons, qui y étaient nombreux et dont beaucoup ont laissé des souvenirs célèbres, sont une véritable institution sociale. Jamais on ne sentit à ce degré l'agrément de se réunir, jamais on n'eut à ce point le souci d'être aimable et le talent de plaire.

Dans ces cercles, les gens du monde accueillaient avec plaisir et avec honneur les gens de lettres ; grâce à cette fusion, les conversations prirent souvent un tour sérieux sans abandonner leur ton élégant et spirituel. Quand ces causeurs ne pouvaient pas se voir, ils s'écrivaient. C'est un choix de ces conversations écrites que l'on trouvera dans ce volume. Nous nous sommes résignés à n'y faire figurer qu'un nombre restreint d'écrivains ; à augmenter ce groupe, il nous aurait fallu mesurer trop parcimonieusement la place réservée à chacun de ceux que nous y aurions admis. Du moins y trouvera-t-on les noms les plus importants des épistoliers français et de ceux qui, quoique étrangers, manièrent, et manièrent si bien, cette jolie langue du XVIIIe siècle.

Madame de Staal

Marie-Jeanne Cordier Delaunay naquit à Paris le 30 avril 1684. Elle a raconté elle-même, au commencement de ses *Mémoires*, dans quelles pénibles circonstances. Son père, qui avait été obligé de s'expatrier, était fixé en Angleterre; sa mère, qui s'était « beaucoup déplue dans un climat étranger », était revenue en France, quoique grosse, et se trouvait à peu près sans ressources.

Après la naissance de sa fille, Mme Delaunay chercha une retraite, et grâce à la protection de quelques amis, elle fut reçue sans pension, avec son enfant, dans l'abbaye de Saint-Sauveur d'Évreux, puis dans le couvent de Saint-Louis à Rouen.

Mlle Delaunay reçut dans ces maisons une éducation très soignée et au-dessus de sa condition. Venue à Paris en 1710, elle fut bientôt présentée à Mme de la Ferté, qui à son tour la présenta à la duchesse du Maine. Mlle Delaunay avait beaucoup d'esprit et de distinction; elle trouva des admirateurs de ses talents dans cette active et joyeuse petite cour de Sceaux.

Un jour enfin, la duchesse du Maine la prit auprès d'elle comme lectrice et comme secrétaire. La duchesse dormait fort peu; le sommeil était proscrit de sa cour; n'y chantait-on pas :

> Quitte nos chants délicieux
> Détestable sommeil; va dans de sombres lieux
> Nourrir l'oisiveté des moines?

On remplit les heures de la nuit de fêtes et de divertissements ; ce furent les fameuses *nuits blanches*, ou encore les
grandes nuits. Il y fallait sans cesse varier les plaisirs et n'en
point avilir la qualité ; la gaieté y devait avoir de l'esprit,
selon le mot de Fontenelle ; et dans *ces galeries du bel esprit*,
comme on a appelé cette petite cour, chacun des habitués
devait prendre « une rame à la main ». Mlle Delaunay, pour
sa part, fit deux comédies qui furent goûtées. Elle avait trouvé
d'ailleurs dans ce cercle de nombreuses sympathies, quelques
solides amitiés, et même l'amour de l'octogénaire abbé de
Chaulieu, qui lui adressait de petits vers aimables :

> Launai qui souverainement,
> Possèdes le talent de plaire,

etc.

Les succès de Mlle Delaunay irritèrent la duchesse du
Maine, qui la traitait avec une froideur croissante. Mlle Delaunay, cependant, se montra très dévouée à sa maîtresse au
moment de la conspiration de Cellamarre ; elle fut même
emprisonnée, et passa deux années à la Bastille. Elle revint
ensuite à la cour de Sceaux, mais n'y trouva pas la duchesse
mieux disposée : on la gardait parce qu'on avait besoin d'elle,
elle restait parce qu'elle n'espérait pas de ressources ailleurs.
Enfin on la maria à un vieil officier suisse, le baron de Staal,
retiré du service, mais à qui le duc du Maine donna une
compagnie dans ses gardes. Mme de Staal continua de remplir
son office auprès de la duchesse, mais sa situation était désormais changée. Elle mourut à Gennevilliers le 15 juin 1750.

On trouve dans ses *Mémoires* et dans sa *Correspondance*
des observations très justes, très pénétrantes, d'une précision
sans indulgence. Il s'y révèle une âme meurtrie et désen-
chantée et qui se venge par une raillerie clairvoyante de la
servitude dont elle a eu à souffrir.

SUR LA CRÉDULITÉ DE FONTENELLE (1)

A M. DE FONTENELLE

1715.

L'aventure de Mlle Têtar fait moins de bruit, Monsieur, que le témoignage que vous en avez rendu. La diversité des jugements qu'on en porte m'oblige à vous en parler. On s'étonne, et peut-être avec quelque raison, que le destructeur des oracles, que celui qui a renversé le trépied des sibylles se soit mis à genoux devant le lit de Mlle Têtar. On a beau dire que les charmes, et non le charme de la demoiselle l'y ont engagé ; ni l'un ni l'autre ne valent rien pour un philosophe. Aussi chacun en cause. « Quoi, disent les critiques, cet homme qui a mis dans un si beau jour des superstitions faites à mille lieues loin, et plus de deux mille ans avant lui, n'a pu découvrir une ruse tramée sous ses yeux ? » Les partisans de l'antiquité, animés d'un vieux ressentiment, viennent à la charge : « Vous verrez, disent-ils, qu'il veut encore mettre les prodiges nouveaux au-dessus des anciens. »

Enfin, les plus raffinés prétendent qu'en bon Pyrrhonien, « trouvant tout certain, vous croyez tout possible ». D'un autre côté, les dévots paraissent fort édifiés des hommages que vous avez rendus au diable : ils espèrent que cela pourra aller plus loin. Les femmes aussi vous savent bon gré du peu de défiance que vous avez montré contre les artifices du

---

(1) « Une aventure à laquelle je ne devais prendre aucun intérêt me fit sortir inopinément de la profonde obscurité dans laquelle je vivais. Une jeune fille, nommée Mlle Têtar, excita la curiosité du public par un prétendu prodige qui se passait en elle. Tout le monde y alla. M. de Fontenelle, engagé par M. le duc d'Orléans, fut aussi voir la merveille. On prétendit qu'il n'y avait pas porté des yeux assez philosophiques. On en murmura... »

(*Mémoires* de Mme de Staal.)

L'auteur des *Oracles* fut en effet très moqué à ce propos ; Mlle Delaunay, à l'instigation de la duchesse du Maine, lui écrivit la lettre qu'on va lire. Cette lettre eut un grand succès ; il s'en répandit de nombreuses copies. Comme le dit encore Mme de Staal : « c'était l'affaire du jour ».

sexe. Pour moi, Monsieur, je suspens mon jugement jusqu'à ce que je sois mieux éclaircie. Je remarque seulement que l'attention singulière que l'on donne à vos moindres actions est une preuve incontestable de l'estime que le public a pour vous ; et je trouve même dans sa censure quelque chose d'assez flatteur pour ne pas craindre que ce soit une indiscrétion de vous en rendre compte. Si vous voulez payer ma confiance de la vôtre, je vous promets d'en faire un bon usage.

J'ai l'honneur d'être, etc.

L'ENNUI A SOREL

A MADAME LA MARQUISE DU DEFFAND (1)

Sorel, samedi 5 août 1747.

J'espère que j'aurai demain de vos nouvelles, ma reine, et je manquerai peut-être de temps pour vous écrire ; car c'est le jour de notre départ : et quoique ce voyage ne soit pas long, c'est toujours une nouvelle transplantation et de nouveaux arrangements. Sorel est bon à faire désirer Anet (2) : aussi y vais-je avec grand plaisir. Ceci est pourtant un des plus jolis lieux du monde ; rien n'est plus gai, plus riant que sa situation, mais rien n'est plus morne et plus triste que les habitants. La dame de château en est à désirer quelque pointe de tracasserie, pour réveiller la compagnie. Nous ferons ce soir un grand souper maigre sans poisson : cela ne sera pas plus plaisant que le reste. Enfin, depuis quinze jours que nous sommes ici, il ne s'y est passé aucune chose, ni tragique, ni comique, dont j'aie pu vous faire part. J'ai pensé vous mander le mal de gorge de M. Dumont (3), comme l'événement le plus remarquable. Il voulait se faire soigner, madame ne le

(1) Mme de Staal et Mme du Deffand furent un temps intimement liées ; elles s'étaient rencontrées à la cour de Sceaux dont elles firent les derniers beaux jours. En août 1747, Mme de Staal pressait son amie de venir à Anet.
(2) Le château d'Anet (dans l'Eure), qui avait appartenu à Diane de Poitiers appartenait alors à la duchesse du Maine, et la petite cour s'y rendait quelquefois. Sorel était une construction en briques, flanquée de deux pavillons,, située sur une hauteur, à une lieue d'Anet.
(3) Valet de chambre de la duchesse du Maine.

voulait pas. Les pleurs de sa femme, l'émotion de l'assemblée, la requête pour avoir M. Bouteille mise au néant, les mesures prises, et manquées, pour, à son défaut, introduire secrètement M. André ; les plaintes d'une part, les dissertations de l'autre, tout cela serait merveilleusement étendu dans le vide. Enfin, Dumont est guéri malgré lui, sans faire de remèdes, et en est tout à fait humilié. Je me flatte que le séjour d'Anet, où nous aurons beaucoup de monde, pourra fournir des incidents un peu plus intéressants que celui-ci.

ARRIVÉE A ANET DE VOLTAIRE
ET DE MADAME DU CHATELET

A LA MÊME

Anet, mardi 15 août 1747.

Mme du Châtelet et Voltaire, qui s'étaient annoncés pour aujourd'hui, et qu'on avait perdus de vue, parurent hier, sur la minuit, comme deux spectres, avec une odeur de corps embaumés qu'ils semblaient avoir apportée de leurs tombeaux ; on sortait de table ; c'étaient pourtant des spectres affamés : il leur fallut un souper, et qui plus est, des lits qui n'étaient pas préparés. La concierge, déjà couchée, se leva à grande hâte. Gaya (1), qui avait offert son logement pour les cas pressants, fut forcé de le céder dans celui-ci, déménagea avec autant de précipitation et de déplaisir qu'une armée surprise dans son camp, laissant une partie de son bagage au pouvoir de l'ennemi. Voltaire s'est bien trouvé du gîte : cela n'a point du tout consolé Gaya. Pour la dame, son lit ne s'est pas trouvé bien fait ; il a fallu la déloger aujourd'hui. Notez que ce lit elle l'avait fait elle-même, faute de gens, et avait trouvé un défaut de [nombre] dans les matelas, ce qui, je crois, a plus blessé son esprit exact que son corps peu délicat ; elle a par intérim un appartement qui a été promis, qu'elle laissera vendredi ou samedi pour celui du maréchal de Maillebois, qui s'en va un de ces jours. Il est venu ici en même temps que nous avec sa fille et sa belle-fille : l'une est

(1) Le chevalier Gaya, de la maison de la duchesse du Maine.

jolie, l'autre est laide et triste. Il a chassé avec ses chiens un chevreuil et pris un faon de biche : voilà tout ce qui se peut tirer de là. Nos nouveaux hôtes fourniront plus abondamment ; ils vont faire répéter leur comédie (1) ; c'est Vanture qui fait le comte de Boursoufle : on ne dira pas que ce soient des armes parlantes, non plus que Mme du Châtelet faisant Mlle de la Cochonnière, qui devra être grosse et courte. Voilà assez parlé d'eux pour aujourd'hui.

Mercredi.

Nos revenants ne se montrent point de jour. Ils apparurent hier à dix heures du soir. Je ne pense pas qu'on les voie guère plus tôt aujourd'hui. L'un est à écrire de hauts faits, l'autre à commenter Newton. Ils ne veulent ni jouer ne se promener : ce sont bien des non-valeurs dans une société, où leurs doctes écrits ne sont d'aucun rapport.

DÉPART D'ANET, DE VOLTAIRE
ET DE MADAME DU CHATELET

A LA MÊME

Anet, mercredi 30 août 1747.

J'espérais apprendre hier de vos nouvelles, ma reine. Si je n'en ai pas demain je serai tout à fait en peine de vous. Notre princesse a écrit au président (2) et l'invite à venir ici et à vous y amener : vous savez cela sans doute ? J'ai fait ce que j'ai pu pour la détourner de cette démarche qui pourra être infructueuse et dont le mauvais succès la fâchera. Si votre santé et les dispositions du président se trouvent favorables, cela sera charmant : en tout cas, on vous garde un bon appartement, c'est celui dont Mme du Châtelet, après une revue exacte de toute la maison, s'était emparée. Il y aura un peu moins de meubles qu'elle n'y en avait mis ; car elle avait dévasté tous ceux par où elle avait passé, pour garnir

(1) *Le Comte de Boursoufle*, farce de Voltaire. Elle figure dans ses œuvres sous le titre de *l'Échange*.

(2) Le président Hénault.

celui-là. On y a retrouvé six ou sept tables : il lui en faut de toutes les grandeurs, d'immenses pour étaler ses papiers, de solides pour soutenir son nécessaire, de plus légères pour les pompons, pour les bijoux ; et cette belle ordonnance ne l'a pas garantie d'un accident pareil à celui qui arriva à Philippe II, quand, après avoir passé la nuit à écrire, on répandit une bouteille d'encre sur ses dépêches. La dame ne s'est pas piquée d'imiter la modération de ce prince, aussi n'avait-il écrit que sur des affaires d'État ; et ce qu'on lui a barbouillé, c'était de l'algèbre, bien plus difficile à remettre au net.

En voilà trop sur le même sujet, qui doit être épuisé ; je vous en dirai pourtant encore un mot, et cela sera fini. Le lendemain du départ, je reçois une lettre de quatre pages, de plus un billet dans le même paquet, qui m'annonce un grand désarroi. M. de Voltaire a égaré sa pièce, oublié de retirer les rôles, et perdu le prologue ; il m'est enjoint de retrouver le tout, d'envoyer au plus vite le prologue, non par la poste, *parce qu'on le copierait* ; de garder les rôles, crainte du même accident, et d'enfermer la pièce *sous cent clefs*. J'aurais cru un loquet suffisant pour garder ce trésor. J'ai bien et dûment exécuté les ordres reçus.

LA SANTÉ DE MADAME DE STAAL

A MONSIEUR D'HÉRICOURT (1)

A Paris, le 18 janvier 1749.

J'aurais répondu plus tôt à votre lettre, Monsieur, car j'avais grande envie de vous dire quelque chose : mais un rhume avec crachement de sang m'a obligée de me faire saigner, et cela a mis ma vue si bas, qu'il ne m'en reste que pour me conduire, et si mal, que je me heurte de tous côtés. Vous me conseillez de me servir de secrétaire, je n'ai pas cet esprit-là ; je ne sais que dire quand je n'ai pas la plume dans la main, et même avec ce secours, je ne vous dirai rien qui vaille. Je baisse de tout point : mais mon jugement est encore assez sain pour que je m'en aperçoive, et c'est

(1) M. de Héricourt (1687-1752), intendant de la marine.

sans aucun chagrin. Je me trouve fort bien d'être bête ; je ne sens presque plus rien, si ce n'est les besoins du corps ; il est vrai qu'ils augmentent autant que ceux de l'esprit diminuent ; mais la quantité en est moindre, et, calcul fait, je trouve qu'il y a à gagner. La destruction qu'on voit s'acheminer fait supporter plus patiemment les maux dont la fin semble prochaine. Enfin, je suis assez contente de l'état des choses pour ce qui me regarde, mais non pas pour vous qui êtes en butte à des contradictions que vous ne pouvez, comme moi, éviter en ne voulant rien : car il faut que vous vouliez du moins sur les choses dont vous êtes chargé. D'ailleurs vous avez un plus long avenir pour vous, et de beaucoup prolongé par une postérité qui presque nous éternise. Belle invention pour nous intéresser au futur comme au présent. J'aurais bien encore de ma morale sombre à vous débiter ; mais il faut partir pour aller coucher à l'Arsenal ; j'y vais avec mon crachement de sang qui m'a repris, pour éviter une infection que nous aurions à essuyer ici.

Je suis très flattée du souvenir de Mme d'Héricourt, j'espère que le grand homme qu'elle a mis au monde deviendra un héros ; je lui fais mille compliments, et vous prie, Monsieur, de me conserver votre amitié que je me réserve dans mon renoncement à toute chose.

LE PRÉSIDENT DE BROSSES

Charles de Brosses naquit à Dijon le 1ᵉʳ février 1709. Sa famille était originaire de la Savoie, et plusieurs de ses ancêtres avaient servi avec honneur dans les troupes françaises, lors des guerres de Louis XII en Italie. Charles de Brosses prit ses grades à l'Université de Dijon. Reçu conseiller au parlement de cette ville en 1730, il fut nommé président, avec dispense d'âge, en 1741, et premier président en 1775.

Il fut un magistrat parfait : intègre, laborieux, ayant un grand sentiment de la dignité et de l'honneur des parlements qu'il défendit lors de la réforme du chancelier Maupeou. Il rédigea, en cette circonstance, comme il l'avait déjà fait d'autres fois, les remontrances de sa compagnie. Il avait un esprit hardi, indépendant et doucement railleur. C'était un érudit et un écrivain charmant. A ce double titre il a laissé d'une part des travaux historiques considérables : l'*Histoire de la République romaine dans le cours du VIIᵉ siècle par Salluste, en partie traduite du latin, en partie rétablie et composée sur les fragments qui sont restés de ces livres perdus*; une *Dissertation sur le culte des dieux fétiches*; un *Traité de la formation mécanique des langues*; une *Histoire des navigations aux terres australes*; d'autre part, des *Lettres* pleines d'intérêt, les unes écrites à Voltaire, qui était devenu son locataire et avec qui il eut, à ce sujet, quelques démêlés; les autres adressées d'Italie, où il fit un voyage en 1739 et 1740, et qui, sous le titre de *Lettres familières* qui convient parfaitement à leur ton simple et libre, contiennent sur ce pays, ses villes, ses paysages, ses œuvres artistiques ou littéraires, ses mœurs et ses habitants, les observations les plus judicieuses.

LA FÊTE DE LA SAINT-JEAN A GÊNES

A M. DE BLANCEY (1)

Gênes, 1er juillet 1739.

Le hasard nous fit arriver à Gênes le plus beau jour de l'année. En faveur de la Saint-Jean, toutes les rues universellement étaient illuminées de lampions du haut en bas. On ne peut se représenter la beauté de ce coup d'œil. Tout le monde, hommes et femmes, en robes de chambre ou en vestes et en pantoufles, courait les rues et les cafés, où l'on trouve du sorbet des dieux. Je ne vis d'autre chose depuis que je suis ici. Je trouvai au coin d'une rue une grande quantité de nobles assis dans de méchants fauteuils, qui tenaient là une grave assemblée. Ce sont les nobles de la première classe ; ceux de la seconde n'osent pas en approcher, les autres se croyant fort au-dessus d'eux : c'est la seule prérogative qu'ils aient sur eux. Au surplus, les charges se confèrent indifféremment, et la place de doge se prend alternativement dans les deux corps.

C'est un fort méchant emploi que celui de doge. Pendant deux ans qu'il conserve sa dignité, il ne peut mettre le pied hors de chez lui sans permission. Cette place rend 1 500 livres de rentes ; jugez si un petit commis s'en accommoderait.

Tous les nobles sont uniformément vêtus de noir, en petite perruque nouée aux oreilles, et un petit manteau qui a d'ampleur le tiers de ceux de nos maîtres des requêtes. La plupart des citadins sont vêtus de même. Les femmes des nobles ne peuvent être vêtues que de noir, sauf la première année de leur mariage ; elles n'ont d'autre distinction que d'avoir des porteurs à leur livrée, au lieu que les autres femmes sont obligées d'en avoir de louage. Vous voyez que la dépense de

---

(1) Secrétaire en chef des États de Bourgogne. C'était un homme aimable et gai, doué d'un peu d'embonpoint, sans doute, puisque le président de Brosses, dans plusieurs de ses lettres, l'appelle « le gros Blancey ». Il avait beaucoup d'esprit, il contait avec agrément, et était un excellent convive.

ces gens-là, qui n'ont ni habits, ni équipages, ni table, ni jeux, ni chevaux, n'est pas considérable ; cependant ils sont d'une richesse excessive. Fort communément on trouve ici des gens avec une fortune de quatre cent mille livres de rente, qui n'en mangent pas trente mille. Du reste de leurs revenus, ils achètent des principautés en Espagne et dans le royaume de Naples, ou font construire pour eux un palais d'un million, et pour le public une église de plus de trois. Toutes les belles églises de cette ville sont chacune l'ouvrage d'un seul homme ou d'une seule famille. Au surplus, l'État est fort pauvre et fait le méchant monopole de vendre aux étrangers une partie des vivres, que la sérénissime république a soin de fournir fort chers et fort mauvais.

Le jour de la Saint-Jean est un des cinq de l'année où le doge a permission de sortir pour aller à la messe en cérémonie. Je ne manquai pas de l'aller voir. Les troupes ouvraient la marche ; les grenadiers, avec de gros bonnets, marchaient les premiers, suivis des Suisses de la garde, en culottes à la suisse, fraises, etc., vêtus de rouge, galonnés de blanc ; ensuite les pages du doge, magnifiquement habillés d'un pourpoint de velours rouge, les chausses et les bas verts, le manteau rouge doublé de satin vert, et la toque rouge ; le tout entièrement chamarré d'or, tant en dedans qu'en dehors. Puis une partie du corps des nobles en petites perruques et en petits manteaux. Ensuite venait, accompagné de deux massiers, un sénateur portant sur son épaule l'épée de la république, démesurément longue, dans un fourreau de vermeil. Le général des armes, en épée et en robe de palais, marchait immédiatement devant le doge, qui était vêtu d'une robe longue de damas rouge sur une veste de même couleur, et coiffé d'une vastissime perruque carrée. Il portait à la main une espèce de bonnet carré rouge, terminé par un bouton au lieu de houppe. Il est grand et maigre, âgé d'environ soixante-dix ans ; il a la physionomie et le maintien d'un homme de qualité, et se nomme Constantino Balbi. On me dit qu'il n'était pas de la bonne maison Balbi, mais noble de la seconde classe. Les sénateurs, deux à deux, marchaient à la suite du doge, cachés sous de prodigieuses perruques et de grosses robes de damas noir, montées sur les épaules, de façon qu'ils paraissaient tous bossus. Ils se rangèrent, de chaque côté du chœur, dans des fauteuils ; l'archevêque avait son trône et son dais du côté de l'épître, près de l'autel, et le doge, son trône et son dais de l'autre côté, près de la nef. Le doge ne marche point sans un écuyer qui lui donne la main. Les chanoines étaient en soutanes violettes et en rochets. La messe fut chantée par de vilaines voix de castrats, en assez méchante musique, sauf les chœurs et les ritournelles. Ce qui me plut davantage, ce fut un abbé à talons rouges et un éventail à la main, qui, pendant la communion, joua supérieurement de la serinette.

LES ILES BORROMÉES

AU MÊME

Milan, 16 juillet 1739.

... On nous a tant vanté les îles Borromées comme un lieu enchanté, qu'il a fallu par bienséance y faire un voyage. Nous partimes le 13, de grand matin, tirant du côté de la route de la Valteline, et allâmes dîner sur les sept heures du matin à Castellanzar, joli séjour par son ombre et ses eaux ; de là à Sesto, petite ville distante de trente-quatre milles de Milan. Tout cet intervalle de chemin est plat et fort couvert d'arbres jusqu'à une lieue de Sesto où l'on commence à sentir les racines des Alpes. A Sesto nous nous embarquâmes sur le lac Majeur. Ah ! de grâce, faites-moi justice d'un petit faquin de lac, qui, n'ayant pas vingt lieues de long, et d'ailleurs fort étroit, s'avise de singer l'Océan, et d'avoir des vagues et des tempêtes. Je crois en vérité que quelque Lapon a fait un pacte avec le malin pour nous procurer un abonnement de vents contraires. Nous n'eûmes pas fait cinq milles sur le lac, que la tramontane se mit à souffler comme une désespérée ; malgré cela nous tînmes bon quelque temps et dépassâmes Augera à droite, et à gauche Arona, patrie de saint Charles. Sur la place où il est né à Arona, on a élevé sa statue colossale de bronze, haute, y compris le piédestal, de soixante brasses, c'est-à-dire quatre-vingt-dix pieds de roi. C'est une chose frappante que d'apercevoir cette prodigieuse figure dont le nez ne finit point. Les bords du lac sont garnis de montagnes fort couvertes de bois, de treilles disposées en amphithéâtre, avec quelques villages et maisons de campagne, qui forment un aspect assez amusant. Nous voyions près de nous des montagnes couvertes de neige qui nous faisaient frais aux yeux ; mais d'ailleurs nous n'avions pas moins chaud. Tant il y a que le vent ayant juré que nous n'irions pas plus loin, il fallut en passer par son mot, et relâcher à Belgirate, où nous passâmes la nuit à nous impatienter et à jurer contre notre sottise de faire cinquante milles pour aller et autant pour revenir, le tout en faveur de deux méchants bouts d'îles : surtout le lendemain matin, quand nous vîmes que, contre notre espérance, le vent, au lieu de finir, augmentait, il n'y eut si grand sang-froid qui ne fût tout à fait hors des gonds. Le vent nous laissa tranquillement dire, et s'abaissa quand il lui plut, ce fut plus tôt que nous ne l'aurions cru ; de sorte qu'au bout de trois heures nous aperçûmes ces bienheureuses îles. Alors nous n'aurions pas voulu n'être pas venus, tant celle qu'on nomme l'île Belle fait un spectacle singulier. Une quantité d'arcades, construites au milieu du lac, soutiennent une montagne pyramidale coupée à quatre faces, revêtue de trente-six terrasses en gradins l'une sur l'autre, savoir : neuf sur chaque face, du moins à ce qu'on en jugerait avant que d'aborder ; mais le nombre de ces terrasses n'est pas en effet si grand, à cause des bâtiments qui occupent une partie des faces de la pyramide. Chacune de ces terrasses est tapissée, dans le fond, d'une palissade, soit de jasmin, soit de grenadiers ou d'orangers, et revêtue sur son bord d'une balustrade chargée de pots de fleurs. Le comble de la pyramide est terminé par une statue équestre, formant un jet d'eau, du moins à ce que l'on nous dit, car je ne l'ai pas vu jouer, et les quatre arêtes sont chargées sur les angles de statues, obélisques et jets d'eau. Il y a assurément en France bien des beautés de l'art et de la nature qui valent mieux que ceci, mais je n'en ai point vu de plus singulière ni de plus singulièrement placée ; cela ne ressemble à rien qu'aux palais des contes de fées. L'aspect de ce pays de Romancie est ce qu'il y a de mieux. Le château est un composé de bâtiments sans ordre et sans beautés extérieures ; mais le dedans n'en manque pas. Rien n'est plus charmant que le rez-de-chaussée, un peu plus abaissé que le sol extérieur et entièrement composé de grottes distribuées en appartements, ayant tous leurs murs, pavés et plafonds faits de rocailles et caillous à compartiments ; la vue s'étendant de tous côtés sur le lac, et des fontaines au milieu des chambres retombant dans les bassins de marbre. Bref, c'est là qu'on trouve le vrai modèle de ce fameux salon que Maleteste, vous et Neuilly avez depuis si longtemps prémédité de bâtir pour passer voluptueusement l'été. Les étages sont composés d'une quantité d'appartements sans commodité, quoique avec une apparence magnifique : ils sont remplis d'albâtres, de statues, de dorures et d'une énorme quantité de tableaux que Lacurne ne me voulut laisser voir qu'en courant, bien que le valet de chambre m'assurât *ch'erano fatti da un pittorissimo* (l'expression me parut neuve). Dans les petits appartements, tout à fait mignards, on n'a placé que des tableaux de fleurs délicatement peints sur des marbres admirables par Tempesta (1). Ce jardin n'est pas à beaucoup près si agréable en dedans qu'à l'aspect. Cependant il y a des endroits exquis, comme bocages de grenadiers et d'orangers, corridors de grottes, et surtout de vastes berceaux de limoniers et de cédrats chargés de fruits. Cet endroit est digne des fées. On croirait qu'elles ont apporté ici ce morceau de l'ancien jardin des Hespérides ; mais, comme il n'y a rien de parfait dans le monde, ces jardins sont mal entendus en bien des endroits (les Italiens étant à cet égard fort inférieurs aux Français), et encore plus mal entretenus. On a laissé dépérir les jets d'eau, et deux fort vilaines tours gâtent beaucoup l'aspect.

L'île Mère, quoiqu'elle soit mieux située et qu'elle ait un plus grand jardin que l'île Belle, ne la vaut pas. A ces défauts près, les îles Borromées sont, à mon sens, un vrai séjour d'Epicure et de Sardanapale. Cependant, quand il fallut prendre la peine de repartir, nous commençâmes à nous plaindre et à retrouver que c'était trop de faire cent milles et dépenser vingt-cinq sequins pour une bagatelle à peindre sur un écran. La violence du vent avait grande part à ces murmures ; mes trois camarades se firent porter en terre ferme par le plus court chemin. Pour moi, je restai dans la barque, et j'en fus quitte pour être bercé d'importance, et bien mouillé par une poussière fine et humide que la bise élevait des vagues.

(1) Le peintre hollandais Peter Molyn, surnommé *Il Cavaliere Tempesta*, né à Harlem en 1637, mort à Milan en 1701.

VENISE

AU MÊME

14 août 1739.

Je ne sais si je vous ai conté comment nous partîmes de Padoue, le 28 du mois dernier. Ce fut en nous embarquant sur le canal de la Brenta, avec un vent contraire ; c'est la règle. Mais pour le coup le diable en fut la dupe, car nous avions de bons chevaux qui nous remorquaient le long du bord, moyennant quoi nous *ingannions* le sortilège qui nous poursuit. Le bâtiment que nous montions se nomme le *Bucentaure.* Vous pouvez bien penser que ce n'est qu'un fort petit enfant du vrai *Bucentaure* ; mais aussi c'était le plus joli enfant du monde ; ressemblant fort en beau à nos diligences d'eau, et infiniment plus propre, composé d'une petite antichambre pour les valets, suivie d'une chambre tapissée de brocatelle de Venise, avec une table et deux estrades garnies de maroquin, et ouverte de huit croisées effectives et de deux portes vitrées. Nous trouvions notre domicile si agréable et si commode, que, contre notre ordinaire, nous n'avions nulle impatience d'arriver, d'autant mieux que nous nous étions munis de force vivres, vin de Canaries, etc., et que les rivages sont bordés de quantité de belles maisons de nobles vénitiens. Celle de Pisani, maintenant doge, mérite en vérité une description particulière, surtout par un portail de jardin au bord de l'eau, accompagné de deux colonnes qui ont des escaliers tournants de fer en dehors, montant sur une terrasse charmante qui fait le comble du péristyle. Cela est imaginé à merveille, et l'on m'a dit depuis que le cardinal de Rohan en avait fait prendre le dessein pour l'exécuter à Saverne. Nous voulions d'abord descendre pour voir ces maisons ; le nombre nous en rebuta : c'aurait été l'affaire de quelques années. Cependant nous ne resistâmes pas à la tentation de voir la dernière, qui est sur la route, appartenant aux Foscarini ; elle a beaucoup de bonnes fresques, et surtout une *Chute des Titans,* d'une excellente expression, de la main de Zelotti. (Notez cependant que ceci est encore inférieur aux abords de Gênes.) Au bout de quelques milles nous eûmes l'honneur d'entrer dans la mer Adriatique, et peu après celui d'apercevoir Venise.

A vous dire vrai, l'abord de cette ville ne me surprit pas autant que je m'y attendais. Cela ne me fit un autre effet que la vue d'une place située au bord de la mer, et l'entrée par le Grand canal fut, à mon gré, celle de Lyon ou de Paris, par la rivière. Mais aussi quand on y est une fois, qu'on voit sortir de l'eau de tous côtés des palais, des églises, des rues, des villes entières, car il n'y en a pas pour une ; enfin, de ne pouvoir faire un pas dans une ville sans avoir le pied dans la mer, c'est une chose, à mon gré, si surprenante, qu'aujourd'hui j'y suis moins fait que le premier jour, aussi bien qu'à voir cette ville ouverte de tous côtés, sans portes, sans fortifications et sans un seul soldat de garnison, imprenable par mer ainsi que par terre ; car les vaisseaux de guerre n'en peuvent nullement approcher, à cause des lagunes trop basses pour les porter. En un mot, cette ville-ci est si singulière par sa disposition, ses façons, ses manières de vivre à faire crever de rire, la liberté qui y règne et la tranquillité qu'on y goûte, que je n'hésite pas à la regarder comme la seconde ville de l'Europe (1), et je doute que Rome me fasse revenir de ce sentiment.

Nous sommes logés pour ainsi dire dans le fort de la rue Saint-Honoré, avec cela on peut dormir la grasse matinée sans être interrompu par le moindre bruit. Tout s'y passe doucement dans l'eau, et je crois qu'on ronflerait fort bien au milieu du marché aux herbes. Joignez à cela qu'il n'y a pas dans le monde une voiture comparable aux gondoles pour la commodité et l'agrément. Je ne trouve pas que l'on en ait donné, à mon gré, une description juste. C'est un bâtiment long et étroit comme un poisson, à peu près comme un requin ; au milieu est posée une espèce de caisse de carrosse, basse, faite en berlingot (2), et du double plus long qu'un vis-à-vis ; il n'y a qu'une seule portière au devant, par où l'on entre. Il y a place pour deux dans le fond, et pour deux autres de chaque côté sur une banquette qui y règne, mais qui ne sert presque jamais que pour étendre les pieds de ceux qui sont dans le fond. Tout cela est ouvert de trois côtés, comme nos carrosses, et se ferme quand on veut, soit par des glaces, soit par des panneaux de bois recouverts de drap noir, qu'on fait

(1) La première étant, naturellement, Paris.
(2) *Berlingot* ou *brelingot* : berline coupée.

glisser sur des coulisses, ou rentrer par le côté dans le corps de la gondole. Je ne sais pas trop si je me fais entendre. Le bec d'avant de la gondole est armé d'un grand fer en col de grue, garni de six larges dents de fer. Cela sert à la tenir en équilibre, et je compare ce bec à la gueule ouverte d'un requin, bien que cela y ressemble comme à un moulin à vent. Tout le bateau est peint en noir et verni ; la caisse doublée de velours noir en dedans et de drap noir en dehors, avec les coussins de maroquin de même couleur, sans qu'il soit permis aux plus grands seigneurs d'en avoir une différente, en quoi ce soit, de celle du plus petit particulier ; de sorte qu'il ne faut pas songer à deviner qui peut être dans une gondole fermée. On est là comme dans sa chambre, à lire, écrire, converser, manger, boire, etc., toujours faisant des visites par la ville. Deux hommes d'une fidélité à toute épreuve, l'un à l'avant, l'autre à l'arrière, vous conduisent sans voir, si vous le voulez.

Je n'espère plus de me retrouver de sang-froid dans un carrosse après avoir tâté de ceci. J'avais ouï dire qu'il n'y avait jamais d'embarras de gondoles comme il y en a de voitures à Paris ; mais au contraire rien n'est plus commun, surtout dans les rues étroites et sous les ponts ; à la vérité ils sont de peu de durée, la flexibilité de l'eau donne une grande facilité pour s'en débarrasser. Outre cela, nos cochers d'ici sont si adroits, qu'ils glissent on ne sait comment, et tournent en un coup de main cette longissime machine sur la pointe d'une aiguille. Ces voitures vont vite, mais non pas autant que le carrosse d'un petit maître. Cependant ne vous avisez pas de tenir la tête hors de votre gondole, la gueule du requin d'une autre gondole qui passerait vous la couperait net comme un navet. Le nombre des gondoles est infini, et l'on ne compte pas moins de soixante mille personnes qui vivent de la rame, soit gondoliers ou autres. On dit aussi, pour faire valoir l'agrément du séjour, que la ville a toujours un fond de trente mille étrangers. Cela peut avoir quelque fondement pendant les six mois de carnaval ; mais hors de là je crois ce nombre fort exagéré.

Vous croyez peut-être que la place Saint-Marc, dont on parle tant, est aussi grande que d'ici à demain. Rien moins que cela ; elle est fort au-dessous, tant pour la grandeur que pour le coup d'œil, des bâtiments de la place Vendôme, bien que magnifiquement bâtie, mais elle est régulière, carrée, longue, terminée des deux bouts par les églises de Saint-Marc et de San-Geminiano, et des côtés par les Procuraties Vieilles et Neuves. Ces dernières forment un magnifique bâtiment, tout d'un corps de logis d'une très grande longueur, orné d'architecture, et le comble couvert de statues. Tant les Neuves que les Vieilles sont bâties sur des arcades, sous lesquelles on se promène à couvert, et chaque arcade sert d'entrée à un café qui ne désemplit point. La place est pavée de pierres de taille. On ne peut s'y tourner, à ce qu'on dit, pendant le carnaval, à cause de la quantité de masques et de théâtres. Pour moi, qui n'ai pas vu cela, je l'en trouve actuellement toujours pleine. Les robes de palais, les manteaux, les robes de chambre, les Turcs, les Grecs, les Dalmates, les Levantins de toute espèce, hommes et femmes, les tréteaux de vendeurs d'orviétan, de bateleurs, de moines qui prêchent et de marionnettes ; tout cela, dis-je, qui y est tout ensemble, à toute heure, la rendent la plus belle et la plus curieuse place du monde, surtout par le retour d'équerre qu'elle fait auprès de Saint-Marc, ce que l'on nomme *Broglio*. C'est une autre place plus petite que la première, formée par le palais Saint-Marc et le retour du bâtiment des Procuraties-Neuves. La mer, large en cet endroit, la termine. C'est de là qu'on voit le mélange de terre, de mer, de gondoles, de boutiques, de vaisseaux et d'églises, de gens qui partent et qui arrivent à chaque instant. J'y vais au moins quatre fois le jour pour me régaler la vue. Les nobles ont leur côté où ils se promènent et qu'on leur laisse toujours libre ; c'est là qu'ils trament toutes leurs intrigues, d'où est venu le nom de *Broglio*. La grande place a dans un angle la haute tour de Saint-Marc, qui, quoique grande et bien faite, me paraît assez mal placée là, puisqu'elle interrompt la figure régulière de la place.

Je ne m'aviserai pas d'entrer avec vous dans le même détail sur l'article de Venise que j'ai fait en parlant des autres villes ; ce serait une chose à ne jamais finir.

LA CAMPAGNE ROMAINE

AU MÊME

Naples, 2 novembre 1739.

Nous voilà donc dans cette campagne, misérable au delà de tout ce qu'on peut dire. Pas un arbre, pas une maison, et ne vous en prenez point à Romulus. J'ai eu tort de l'en accuser dans ma précédente lettre (1) ; le terrain est le plus fertile du monde, et produirait tout ce qu'on voudrait s'il était cultivé. Vous me direz : « Pourquoi ne l'est-il point ? » On vous répondra : « A cause de l'intempérie de l'air, qui fait mourir tous ceux qui y viennent habiter. » Mais moi je réponds que la proposition est réciproque. Il n'est point habité parce qu'il y a de l'intempérie, et il y a de l'intempérie parce qu'il n'est point habité. Comment est-il possible qu'il n'y en ait point dans cette vaste plaine, bordée de tous côtés de montagnes qui la gardent des vents comme le fond d'un tonneau ; où il n'y a ni maisons, ni bois, ni arbres pour rompre l'air et lui donner du cours, ni jamais de feu allumé pour le purifier ; où les terres ne sont point remuées ; où l'on ne donne aucun écoulement aux eaux ? L'air, sans mouvement, y croupit dans les grandes chaleurs comme l'eau dans les marais, et produit l'intempérie, qui véritablement tue les habitants. Mais la marque évidente que ceci ne vient point du climat même, c'est qu'il n'y a d'intempérie ni à Rome, qui est située au milieu de cette même plaine, ni hors de Rome, à un quart de lieue ou une demi-lieue à la ronde, parce que le terrain y est habité. La première source de cette fâcheuse aventure vient, à ce qu'on prétend, d'une fausse politique de Sixte V qui, sans

---

(1) Dans sa précédente lettre à M. de Blancey, datée de Rome 21 octobre, le président de Brosses avait écrit :

« ... Voici la vraie campagne de Rome qui se présente. Savez-vous ce que c'est que cette campagne fameuse ? C'est une quantité prodigieuse et continue de petites collines stériles, incultes, absolument désertes, tristes et horribles au dernier point. Il fallait que Romulus fût ivre quand il songea à bâtir une ville dans un lieu aussi laid. A la vérité, à deux milles autour des murailles de la ville, la campagne est tenue un peu plus proprement, mais jusque-là on ne trouve aucune maison que la cabane où est la poste. »

doute, n'en sentit pas les conséquences. Quand il fut élevé à la papauté, le désordre et l'impunité régnaient dans l'État où les principaux nobles s'étaient tous érigés en autant de petits tyrans. Il n'y avait guère moins de danger que de difficulté à remédier au mal bien ouvertement. Sixte V voulut leur ôter leurs richesses, sources de leur insolence, en diminuant le produit immense qu'ils retiraient de leurs terres. Il fit défense absolue de sortir les blés de l'État ecclésiastique. Le peuple vit d'abord avec plaisir un édit qui semblait lui procurer des vivres en plus grande abondance et à meilleur marché ; mais comme le pays produisait beaucoup plus de grains qu'il n'en pouvait consommer, ils furent bientôt à si vil prix que l'agriculture tomba. On ne cultiva plus que ce qui était nécessaire ; de grandes terres demeurèrent en friche, et ensuite devinrent malsaines, par conséquent se dépeuplèrent, si bien que, le mal ayant gagné de canton en canton, le tout est devenu comme je vous ai dit. La destruction des terres a occasionné celle des hommes, et la destruction des hommes celle des terres ; elles ne sont presque plus d'aucun prix dans ce pays-ci. La princesse Borghèse m'assurait l'autre jour qu'elle en avait plusieurs dont elle donnerait volontiers les deux tiers en propriété à ceux qui voudraient venir les habiter et cultiver l'autre tiers. Je lui répondis : « Madame, il en est des hommes comme des arbres, il n'en vient point qu'on n'en plante. » Le moyen que la race des hommes ne s'éteigne à la fin dans un pays où l'on ne parvient à la fortune qu'en faisant profession d'un état où il est défendu de le peupler ? Oh ! l'étrange vertu que celle dont le but et l'effet sont de détruire le genre humain !

Aujourd'hui ce sont des paysans de la Sabine et de l'Abruzze qui viennent de temps en temps semer quelques cantons de la campagne, et s'en retournent jusqu'à la récolte. Un gouvernement qui aurait des vues plus longues que n'en a celui-ci, pourrait à la longue apporter un remède à ceci, en favorisant la génération et peuplant le pays, successivement, de proche en proche, depuis les environs de Rome où l'intempérie ne règne pas, jusqu'aux montagnes.

LA VIE A NAPLES

A M. DE NEUILLY (1)

Rome, 24 novembre.

Ce royaume-ci sera toujours la proie du premier occupant, pour peu que l'attaquant ait l'avantage sur son adversaire. Il n'a point de place de défense, et Naples même, autant que je m'y puis connaître, n'est pas capable d'une grande résistance du côté de la mer, étant fort exposée et trop ouverte de ce côté-là. J'ai peine à croire qu'en l'état où sont les choses son château de l'Œuf, son château neuf, son môle et le fortin qui est au bout l'empêchassent d'essuyer quelque fâcheuse insulte. Joignez à cela un mal intérieur et tout à fait incurable : c'est l'esprit du bas peuple, pervers à l'excès, méchant, superstitieux, traître, enclin à la sédition et toujours prêt à piller à la suite du premier mazaniello qui voudra saisir une occasion favorable de faire du tumulte. C'est la plus abominable canaille, la plus dégoûtante vermine qui ait jamais rampé sur la surface de la terre. Et, par malheur, ce qui vicie abonde, la ville est peuplée à regorger. Tous les bandits et les fainéants des provinces se sont écoulés dans la capitale. On les appelle *lazarielli* ; ces gens-là n'ont point d'habitations ; ils passent leur vie au milieu des rues, à ne rien faire, et vivent des distributions que leur font les couvents. Tous les matins ils couvrent les escaliers et la place entière du mont Oliveto à n'y pouvoir passer : c'est un spectacle hideux à faire vomir.

A mon sens, Naples est la seule ville d'Italie qui sente véritablement sa capitale ; le mouvement, l'affluence du peuple, l'abondance et le fracas perpétuel des équipages, une cour dans les formes et assez brillante, le train et l'air magnifique qu'ont les grands seigneurs, tout contribue à lui donner cet extérieur vivant et animé qu'ont Paris et Londres, et qu'on ne trouve point du tout à Rome. La populace y est tumul-

(1) Conseiller au Parlement de Dijon, puis ambassadeur à Gênes ; l'un des meilleurs amis du président de Brosses. On a dit de lui : « L'on ne pourrait dire s'il fallait davantage aimer la bonté de son cœur, admirer la force de son âme, ou se plaire aux charmes de son esprit et de sa conversation. »

tueuse, la bourgeoisie vaine, la haute noblesse fastueuse, et la petite avide des grands titres ; elle a eu de quoi se satisfaire sous la domination de la maison d'Autriche. L'empereur a donné des titres pour de l'argent à qui en a voulu ; d'où est venu le proverbe : *E veramente duca, ma non cavaliere* (1) ; le boucher dont nous nous servions n'exerce plus que par ses commis depuis qu'il est duc. La femme d'un commerçant ne sort jamais de chez elle dans son équipage sans un autre carrosse de suite, dans lequel vous vous doutez bien qu'il n'y a personne ; mais cela fait toujours du bruit et va comme la tempête. Vous savez que c'est ici le pays des chevaux. Sur leur réputation, je m'étais fait d'eux une tout autre idée ; ils ne sont point beaux ; au contraire, ils sont petits et effilés, mais fins, diligents, malins et pleins de feu. On fait grand usage ici de petites voitures en coquilles, à roues fort basses et attelées d'un seul cheval qui les emporte à toutes jambes.

Le discours commun est que les habitants de Naples montent à cinq cent mille : c'est une hyperbole excessive. Je m'en suis informé au cardinal Spinelli, qui est plus que personne à portée de le savoir, en sa qualité d'archevêque, et il ne pense pas qu'il y en ait au delà de deux cent quatre vingt mille. Mais leur habitude de se tenir tout le jour dans la rue ferait supposer une population plus considérable.

DU GENRE DE FASTE DES ITALIENS

A MM. DE BLANCEY ET DE NEUILLY

Rome, [1739 ou 1740].

Nous disons souvent, nous autres Français, que les Italiens sont avares et mesquins, qu'ils ne savent pas dépenser, se faire honneur de leur bien, ni donner un verre d'eau à personne ; qu'il n'y a que parmi nous que les seigneurs aient un air de magnificence, une table somptueuse, des équipages brillants, des meubles, des bijoux, des parures de goût, etc. J'ai souvent lieu de mettre ici en parallèle le genre différent

(1) « Il est vraiment duc, mais non gentilhomme. »

du faste des deux nations française et italienne ; à vous le dire sans fard, cette dernière me paraît infiniment plus riche, plus noble, plus agréable, plus utile, plus magnifique, et sentant mieux son air de grandeur. Ce que nous appelons le plus communément en France faire une grande figure, avoir une bonne maison, c'est tenir une grande table. Un homme riche, qui représente, a force cuisiniers, force services d'entrée et d'entremets, des fruits montés d'une manière élégante (dont l'usage, par parenthèse, nous vient d'Italie) ; la profusion des mets doit toujours être au triple de ce qu'il en faut pour les convives. Il rassemble le plus grand nombre de gens qu'il lui est possible pour consommer ces apprêts, sans se beaucoup embarrasser s'ils sont de ses amis ou s'ils sont gens aimables ; il lui suffit qu'on voie qu'il fait la chère du monde la plus délicate et la mieux servie, et qu'on puisse publier que personne ne sait mieux se faire honneur de son bien. Au milieu de cette espèce de dépense, il vit dans un embarras journalier, sans plaisir, si ce n'est même avec ennui ; malaisé malgré ses richesses ; souvent ruiné et à coup sûr oublié après la digestion.

Un Italien ne fait rien de tout cela ; sa manière de paraître, après avoir amassé par une vie frugale un grand argent comptant, est de le dépenser à la construction de quelque grand édifice public qui serve à la décoration et à l'utilité de sa patrie, et qui fait passer à la postérité, d'une manière durable, son nom, sa magnificence et son goût. Ce genre de vanité n'est-il pas mieux entendu que l'autre ? ne va-t-il pas mieux à ses fins ? D'abord, si l'on mesure le faste par la dépense, comme cela est juste, celle de l'Italien est beaucoup plus grande ; ajoutez qu'il répand son argent parmi les métiers de première nécessité, encore plus que parmi les métiers de luxe, au lieu que parmi nous c'est le contraire. Quant au plaisir qu'on peut prendre soi-même à ces sortes de dépenses, n'y en a-t-il pas autant, à voir croître sous ses yeux des ouvrages qui resteront, qu'à voir l'arrangement d'un festin qui va disparaître, outre que ce premier genre est d'une espèce plus satisfaisante et plus noble ; et quant au plaisir que l'on peut donner aux autres, n'y en a-t-il pas autant à se régaler les yeux qu'à se régaler le palais ? Une belle colonne cannée vaut bien une bonne gélinotte. Après l'avoir vue on la verra encore. C'est un régal perpétuel, présent et à venir ; tous y sont invités nés ; et il est constant que plus la fête est générale, plus celui qui la donne sait représenter et se faire honneur de son bien.

Il me semble, mon gros Blancey, que, malgré votre abominable goinfrerie, mon suffrage doit être de quelque poids sur cet article, à moins que votre langue de serpent n'ait menti au Saint-Esprit quand elle m'a donné dans le public la réputation d'être d'une inouïe et superlative gourmandise. Pour vous, Neuilly, qui avez l'honneur de partager ce blâme avec moi, je me tiens néanmoins assuré que votre sentiment sera conforme au mien. Je conclus de cette savante et profonde dissertation que les Italiens n'ont pas grand tort de se moquer à leur tour de notre genre de faste *che tutto se ne va al cacatojo* (c'est leur expression burlesque), et qu'ils seraient fondés à taxer de vilenie nos grands seigneurs, parce que ceux-ci ne font point d'édifices publics, au moins aussi bien que nous à leur faire un pareil reproche parce qu'ils ne donnent pas à manger. Mais la table est en soi une chose très agréable : d'accord. Qui le sait mieux que moi ? C'est un amusement journalier qui forme un des principaux liens de la société. Oui, quand on mange sans faste, entre un petit nombre d'amis ou de gens qui se plaisent ensemble. C'est ce que font chez nous les gens de bon goût et d'une fortune ordinaire. Je blâme les Italiens de ne pas savoir en user de même ; mais les gens d'une fortune ordinaire ne sont pas faits pour entreprendre des constructions publiques. Ainsi ma dissertation ne les regarde pas ; elle ne se rapporte qu'aux personnes faites pour représenter. Or je soutiens que ceux-ci, dans leurs grandes dépenses de table, n'ont en vue ni le plaisir de manger ni celui de la société ; qu'ils n'ont pour but que d'étaler un faste qu'ils se croient obligés d'avoir par état ; que l'objet de leur magnificence est fort mal choisi ; qu'ils feraient mieux, pour eux et pour les autres, de donner de petits soupers et de construire de grandes fabriques, d'avoir des berlines unies et des statues de marbre. Telle est ma thèse en dépit de tous les arguments de Blancey : *Dixi.*

LE GOLFE DE BAÏA

A M. DE NEUILLY

26 novembre 1739.

Le golfe de Baïa et sa colline en demi-amphithéâtre, si renommé chez les Romains pour être le plus voluptueux endroit de l'Italie, est comme ces vieilles beautés qui, sur un visage tout ruiné, laissent encore deviner, à travers leurs rides, les traces de leurs anciens agréments ; ce n'est plus qu'une colline pleine de bois et de masures, qui se mirent dans une mer toujours claire et calme. On n'y sait presque ce que c'est que froid ni qu'hiver, la terre étant d'une nature très chaude en ce lieu et aux environs ; aussi était-ce là que les Romains venaient en *villegiatura* à la fin de l'automne. Toutes les louanges qu'on a données à cette charmante baie ne me paraissent point outrées. Quant à la vue de la colline et des masures, je me représente quel spectacle admirable c'était que cette lieue demi-circulaire de terrain, pleine de maisons de campagne d'un goût exquis, de jardins en amphithéâtre, de terrasses sur la mer, de temples, de colonnes, de portiques, de statues, de monuments, de bâtiments dans la mer, quand on n'avait plus de place ou qu'on se lassait d'avoir une maison sur la terre. Que je me répandrais là-dessus en citations des poètes, si Addisson ne m'avait prévenu ! La bonne compagnie que l'on trouvait là du temps de Cicéron, de Pompée, d'Horace, Mécénas, Catulle, Auguste, etc. ! Les jolis soupers qu'on allait faire en se promenant à pied à la bastide de Lucullus, près du promontoire de Misène ! Le beau spectacle pour sa soirée que ces gondoles dorées, ornées tantôt de

---

(1) Le golfe de Baïa a, on le sait, inspiré à Lamartine, l'une de ses plus belles *Méditations* :

> Colline de Baïa ! poétique séjour !
> Voluptueux vallon qu'habita tour à tour
>   Tout ce qui fut grand dans le monde,
> Tu ne retentis plus de gloire ni d'amour.
>   Pas une voix qui me réponde,
>   Que le bruit plaintif de cette onde
> Ou l'écho réveillé des débris d'alentour !

banderoles de couleur, tantôt de lanternes, que cette mer couverte de roses, que ces barques pleines de jolies femmes, que ces concerts sur l'eau pendant l'obscurité de la nuit ; en un mot que tout ce luxe si vivement décrit et si sottement blâmé par Sénèque ! O Napolitains, mes amis, que faites-vous de vos richesses, si vous ne les employez à faire renaître en ce beau lieu ses anciennes délices ?

Les antiquités que je remarquai sur le rivage sont : un petit temple de Diane, en dôme, fort ruiné. Les murailles n'en subsistent plus que d'un côté ; néanmoins la voûte, plus qu'à moitié pendue en l'air, se soutient comme une calotte, par la seule force de sa maçonnerie.

Un temple de Vénus... un autre d'Hercule... un autre au milieu d'une flaque d'eau, où nous nous fîmes porter à bras ; on nous le donna pour temple de Mercure. J'y remarquai quelques restes de l'enduit qu'on appelait *opus reticulatum.* Quand le massif des anciens bâtiments de brique était fait, on recouvrait les murs d'un parement de petites briques carrées, de la taille de nos carreaux de faïence, ou de petits carreaux de marbre soit blanc, soit de couleur ; on les disposait en losange, et le stuc, d'autre couleur, qui en faisait la liaison, mis avec soin et propreté, formait sur le mur l'image d'un grand filet de pêcheur et un effet fort agréable à la vue... Des bains antiques fort curieux, avec les cuves ou places d'icelles, rangées tout le long des deux côtes comme des lits dans un hôpital... Tout est plein aux environs de bains naturels : on ne fait autre cérémonie que de se mettre dans la mer en certains endroits du rivage. On dit ce remède spécifique pour une longue liste de maladies. La forteresse de Baïa est au-dessus du rocher qui fait la pointe avancée du demi-cercle. Don Michel Reggio nous fit une chère somptueuse sur sa galère ; ce fut le plus bel endroit de ma journée que le dîner. Grâce à l'exercice étonnant que j'avais fait, jamais appétit ne fut si fougueux, besoin de boire et manger si pressant, ni manière de s'en acquitter si rapide.

VOLTAIRE

Marie-François Arouet [de Voltaire] naquit à Paris le 20 novembre 1694 et mourut le 10 mai 1778. Nous ne dirons pas ici comment fut remplie et combien fut mouvementée cette longue, laborieuse et brillante existence. Ce n'en est pas la place. On a déjà lu dans notre collection des extraits de ses diverses œuvres : poésie, théâtre, romans, ouvrages historiques, écrits philosophiques. On trouvera dans les pages qui suivent un choix, bien restreint, mais que nous avons tâché de faire aussi varié que nous l'avons pu, de sa *Correspondance*. Voltaire a écrit un nombre de lettres vraiment prodigieux ; il en a été publié plus de dix mille et l'on continue d'en découvrir encore (1).

Dans ces expansions continuelles il se révèle avec toute sa vivacité, toute sa malice ; tantôt il montre la grâce la plus badine, tantôt la rancune la plus aiguisée ; ici toutes les qualités de son esprit, là tous les défauts de son cœur ; souvent irrité, plein de lui-même, se faisant le centre de son siècle qu'il a d'ailleurs véritablement rempli du bruit de sa renommée. Les lettres que nous donnons vont de 1716 à 1776 ; elles s'étendent donc sur une période de soixante ans, qui commence un peu avant que le jeune Arouet adopte le pseudonyme de Voltaire (il ne le prendra qu'en 1718), et qui s'achève peu de temps avant sa mort.

(1) Dans l'édition des *Œuvres complètes* de Voltaire publiée par M. Louis Moland, la *Correspondance* tient 18 volumes (t. XXXIII à L), et comprend 10 465 lettres ; M. G. Bengesco en donne cent au tome III de sa *Bibliographie des Œuvres de Voltaire* ; il y en a dans d'autres ouvrages et dans des revues.

REMERCIEMENTS

A M. L'ABBÉ DE CHAULIEU (1)

De Sully, 3o juin 1716.

Monsieur, vous avez beau vous défendre d'être mon maître, vous le serez, quoi que vous en disiez. Je sens trop le besoin que j'ai de vos conseils ; d'ailleurs les maîtres ont toujours aimé leurs disciples, et ce n'est pas là une des moindres raisons qui m'engagent à être le vôtre. Je sens qu'on ne peut guère réussir dans les grands ouvrages sans un peu de conseils et beaucoup de docilité. Je me souviens bien des critiques que M. le grand prieur (2) et vous me fîtes dans un certain souper chez M. l'abbé de Bussi (3). Ce souper-là fit beaucoup de bien à ma tragédie (4) et je crois qu'il me suffirait pour faire un bon ouvrage de boire quatre ou cinq fois avec vous. Socrate donnait ses leçons au lit, et vous les donnez à table ; cela fait que vos leçons sont sans doute plus gaies que les siennes.

Je vous remercie infiniment de celles que vous m'avez données sur mon épître *à M. le Régent* ; et quoique vous me conseilliez de louer, je ne laisserai pas de vous obéir.

> Malgré le penchant de mon cœur
> A vos conseils je m'abandonne.
> Quoi! je vais devenir flatteur!
> Et c'est Chaulieu qui me l'ordonne!

Je ne puis vous en dire davantage, car cela me saisit. Je suis, avec une reconnaissance infinie, etc.

(1) Guillaume Amprie de Chaulieu (1639-1720). Ami du plaisir et de la poésie, il a composé des poésies légères : épîtres. madrigaux, épigrammes même. Ses épigrammes sont, d'ailleurs, peu nombreuses. Il était trop épicurien pour se plaire à ce sujet. Il réussissait mieux les petites pièces galantes et nous avons vu qu'à quatre-vingts ans il en adressait encore à la future Mme de Staal.

(2) Philippe de Vendôme (1633-1727,) alors grand prieur de France.

(3) Fils de Bussy-Rabutin, qui était cousin germain de Mme de Sévigné.

(4) *Œdipe*, qui ne fut représentée que le 18 novembre 1718.

DE LA CARRIÈRE DES LETTRES

A M. LEFÈVRE (1)

1732.

Votre vocation, mon cher Lefebv*ie*, est trop bien marquée pour y résister. Il faut que l'abeille fasse de la cire, que le ver à soie file, que M. de Réaumur (2) les dissèque, et que vous les chantiez. Vous serez poète et homme de lettres, moins parce que vous le voulez, que parce que la nature l'a voulu. Mais vous vous trompez beaucoup en imaginant que la tranquillité sera votre partage. La carrière des lettres, et surtout celle du génie, est plus épineuse que celle de la fortune. Si vous avez le malheur d'être médiocre (ce que je ne crois pas), voilà des remords pour la vie ; si vous réussissez, voilà des ennemis : vous marchez sur le bord d'un abîme, entre le mépris et la haine.

« Mais quoi, me direz-vous, me haïr, me persécuter, parce que j'aurai fait un bon poème, une pièce de théâtre applaudie, ou écrit une histoire avec succès, ou cherché à m'éclairer et à instruire les autres ! »

Oui, mon ami, voilà de quoi vous rendre malheureux à jamais. Je suppose que vous ayez fait un bon ouvrage ; imaginez-vous qu'il vous faudra quitter le repos de votre cabinet pour solliciter l'examinateur (3) ; et si votre manière de penser n'est pas la sienne, s'il n'est pas l'ami de vos amis, s'il est

---

(1) Jeune littérateur que Voltaire avait recueilli chez lui, et dont le talent, dit-on, promettait beaucoup. Mais sa santé était mauvaise ; malgré l'espérance que Voltaire exprimait par ces vers qu'il lui adressa :

> N'attends de moi ta première santé,
> Ton protecteur le dieu de l'harmonie
> Te la rendra par son art enchanté.

Lefebvre mourut dès 1732. Il avait travaillé à une tragédie dont il ne reste que quatorze vers.

(2) René-Antoine Ferchaut de Réaumur (1687-1757), le célèbre physicien et naturaliste. Comme physicien, il est surtout connu pour avoir perfectionné et régularisé le thermomètre. Comme naturaliste, son principal ouvrage est son *Histoire naturelle des insectes*, en 6 volumes in-4°.

(3) C'était le censeur royal, sur l'avis duquel était accordé ou refusé le permis d'imprimer.

celui de votre rival, s'il est votre rival lui-même, il vous est plus difficile d'obtenir un privilège, qu'à un homme qui n'a point la protection des hommes d'avoir un emploi dans les finances. Enfin, après un an de refus et de négociations, votre ouvrage s'imprime ; c'est alors qu'il faut ou assoupir les Cerbères de la littérature, ou les faire aboyer en votre faveur. Il y a toujours trois ou quatre gazettes littéraires en France, et autant en Hollande (1) ; ce sont des factions différentes. Les libraires de ces journaux ont intérêt qu'ils soient satiriques ; ceux qui y travaillent servent aisément l'avarice du libraire et la malignité du public. Vous cherchez à faire sonner ces trompettes de la Renommée ; vous courtisez les écrivains, les protecteurs, les abbés, les docteurs, les colporteurs : tous vos soins n'empêchent pas que quelque journaliste ne vous déchire. Vous lui répondez, il réplique : vous avez un procès par écrit devant le public, qui condamne les deux parties au ridicule.

C'est bien pis si vous composez pour le théâtre. Vous commencez par comparaître devant l'aréopage de vingt comédiens, gens dont la profession, quoique utile et agréable, est cependant flétrie par l'injuste mais irrévocable cruauté du public. Ce malheureux avilissement où ils sont les irrite ; ils trouvent en vous un client, et ils vous prodiguent tout le mépris dont ils sont couverts. Vous attendez d'eux votre première sentence ; ils vous jugent ; ils se chargent enfin de votre pièce : il ne faut plus qu'un mauvais plaisant au parterre pour la faire tomber. Réussit-elle, la farce qu'on appelle *italienne*, celle de la Foire, vous parodient (2) ; vingt libelles vous prouvent que vous n'avez pas dû réussir. Des savants qui entendent mal le grec, et qui ne lisent point ce qu'on fait en français, vous dédaignent ou affectent de vous dédaigner.

Vous portez en tremblant votre livre à une dame de la cour ; elle le donne à une femme de chambre qui en fait des papillotes ; et le laquais galonné qui porte la livrée du luxe insulte à votre habit qui est la livrée de l'indigence.

(1) Principaux journaux de France : *le Journal des Savants, le Mercure, le Journal de Trévoux, le Nouvelliste du Parnasse*. Principaux journaux de Hollande : *le Mercure historique et politique, le Journal littéraire*. Le journalisme littéraire et critique prit bientôt un très grand développement.

(2) On fit en effet beaucoup de parodies au xviiie siècle. M. G. Lanson en a enregistré plus de deux cents de 1710 à 1789. Voltaire ne goûtait pas ce genre d'ouvrages. Il est vrai que plusieurs de ses œuvres dramatiques avaient été déjà parodiées, et que sa *Marianne*, par exemple, l'avait été au moins trois fois.

Enfin, je veux que la réputation de vos ouvrages ait forcé l'envie à dire quelquefois que vous n'êtes pas sans mérite; voilà tout ce que vous pouvez attendre de votre vivant : mais qu'elle s'en venge bien en vous persécutant! On vous impute des libelles que vous n'avez pas même lus, des vers que vous méprisez, des sentiments que vous n'avez point. Il faut être d'un parti, ou bien tous les partis se réunissent contre vous.

Il y a dans Paris un grand nombre de petites sociétés où préside toujours quelque femme qui, dans le déclin de sa beauté, fait briller l'aurore de son esprit. Un ou deux hommes de lettres sont les premiers ministres de ce petit royaume. Si vous négligez d'être au rang des courtisans, vous êtes dans celui des ennemis, et on vous écrase. Cependant, malgré votre mérite, vous vieillissez dans l'opprobre et dans la misère. Les places destinées aux gens de lettres sont données à l'intrigue, non au talent. Ce sera un précepteur qui, par le moyen de la mère de son élève, emportera un poste que vous n'oserez pas seulement regarder.

Le parasite d'un courtisan vous enlèvera l'emploi auquel vous êtes propre.

Que le hasard vous amène dans une compagnie où il se trouvera quelqu'un de ces auteurs réprouvés du public, ou de ces demi-savants qui n'ont pas même assez de mérite pour être de médiocres auteurs, mais qui aura quelque place ou qui sera intrus dans quelque corps; vous sentirez, par la supériorité qu'il affectera sur vous, que vous êtes justement dans le dernier degré du genre humain.

Au bout de quarante ans de travail, vous vous résolvez à chercher par les cabales ce qu'on ne donne jamais au mérite seul; vous vous intriguez comme les autres pour entrer dans l'Académie française, et pour aller prononcer, d'une voix cassée, à votre réception, un compliment qui le lendemain sera oublié pour jamais. Cette Académie française est l'objet secret des vœux de tous les gens de lettres; c'est une maîtresse contre laquelle ils font des chansons et des épigrammes jusqu'à ce qu'ils aient obtenu ses faveurs, et qu'ils négligent dès qu'ils en ont la possession.

Il n'est pas étonnant qu'ils désirent d'entrer dans un corps où il y a toujours du mérite, et dont ils espèrent, quoique assez vainement, d'être protégés. Mais vous me demanderez pourquoi ils en disent tous tant de mal jusqu'à ce qu'ils y soient admis, et pourquoi le public, qui respecte assez l'Académie des sciences, ménage si peu l'Académie française. C'est que les travaux de l'Académie française sont exposés aux yeux du grand nombre, et les autres sont voilés. Chaque Français croit savoir sa langue, et se pique d'avoir du goût ; mais il ne se pique pas d'être physicien. Les mathématiques seront toujours pour la nation en général une espèce de mystère, et par conséquent quelque chose de respectable. Des équations algébriques ne donnent de prise ni à l'épigramme, ni à la chanson, ni à l'envie ; mais on juge durement ces énormes recueils de vers médiocres, de compliments, de harangues, et ces éloges qui sont quelquefois aussi faux que l'éloquence avec laquelle on les débite. On est fâché de voir la devise de l'*immortalité* à la tête de tant de déclamations, qui n'annoncent rien d'éternel que l'oubli auquel elles sont condamnées.

Il est très certain que l'Académie française pourrait servir à fixer le goût de la nation. Il n'y a qu'à lire ses *Remarques sur le Cid* ; la jalousie du cardinal de Richelieu a produit au moins ce bon effet. Quelques ouvrages dans ce genre seraient d'une utilité sensible. On les demande depuis cent années au seul corps dont ils puissent émaner avec fruit et bienséance. On se plaint que la moitié des académiciens soit composée de seigneurs qui n'assistent jamais aux assemblées, et que, dans l'autre moitié, il se trouve à peine huit ou neuf gens de lettres qui soient assidus. L'Académie est souvent négligée par ses propres membres. Cependant, à peine un des quarante a-t-il rendu les derniers soupirs, que dix concurrents se présentent ; un évêché n'est pas plus brigué ; on court en poste à Versailles ; on fait parler toutes les femmes ; on fait agir tous les intrigants ; on fait mouvoir tous les ressorts ; des haines violentes sont souvent le fruit de ces démarches. La principale origine de ces horribles couplets qui ont perdu à jamais le célèbre et malheureux Rousseau, vient de ce qu'il manqua la place qu'il briguait à l'Académie. Obtenez-vous cette préférence sur vos rivaux, votre bonheur n'est bientôt qu'un fantôme ; essuyez-vous un refus, votre affliction est réelle. On pourrait mettre sur la tombe de presque tous les gens de lettres ;

> Ci-gît au bord de l'Hippocrène
> Un mortel longtemps abusé ;
> Pour vivre pauvre et méprisé
> Il se donna bien de la peine.

Quel est le but de ce long sermon que je vous fais ? est-ce de vous détourner de la route de la littérature ? Non ; je ne m'oppose point ainsi à la destinée ; je vous exhorte seulement à la patience.

DU STYLE DES FEMMES

A MADEMOISELLE DE LAUNAI (1)

Paris, décembre 1732.

J'ai été extrêmement flatté, mademoiselle, de l'honneur de votre souvenir : j'en ai conclu tout de suite qu'il fallait bien que je valusse quelque chose pour mériter d'occuper même le plus petit recoin dans une mémoire aussi bien garnie que la vôtre.

> Cette tête ne s'emplit pas
> De chiffons ni de babioles,
> Et, comme celle de nos folles
> N'est grenier à nicher des rats,
> Mais logis meublé haut et bas
> Plus orné que palais d'idoles,
> Où sont rangés sans embarras
> L'astrolabe et les falbalas,
> Et l'éventail et le compas,
> Où sont bons et sûrs cadenas,
> Sont trésors plus chers que pistoles ;
> Ces précieux et longs amas
> Des vérités de tous états,
> Cette richesse de paroles
> Sans le clinquant des hyperboles,
> Ces tons heureux et délicats
> Qui font des riens des plus frivoles
> Des choses dont on fait grand cas.

Sans entrer dans un inventaire plus exact de tous vos meubles et immeubles, je vous dirai que j'ai trouvé dans votre lettre à M. de Formont, les raisonnements les plus solides sur le libre arbitre, joints au badinage le plus charmant.

(1) Plus tard Mme de Staal. Voy. la note, p. 9. Cette jolie lettre, que l'on a longtemps crue perdue, n'a pas été retrouvée en entier : il y manque la fin.

Vous me prouvez plus que jamais qu'une certaine délicatesse qui se sent mieux qu'elle ne se définit fait le caractère de vos esprits, et comme la marque de l'ouvrier qui distingue le style des femmes d'avec le nôtre.

> Un des Quarante peut arranger un volume ;
> Quelquefois le bon sens fait un livre précis ;
> C'est là le sort de vos esprits :
> Mais chez nous, comme en vos écrits,
> Sexe aimable, l'amour tient-il toujours la plume ?

Nous avons quelquefois votre solidité, mais presque jamais votre finesse ; vous savez donner à la philosophie des grâces qui la parent.

> Vous prêchez pour la liberté
> Bien mieux que Locke en son grimoire ;
> Mais, prouvant à votre auditoire
> Le droit du choix, si contesté,
> Vous l'en privez en vérité,
> Car qui peut ne pas vous en croire ?

Dans vos mains les matières les plus abstraites prennent le ton amusant et persuasif...

(Le reste manque.)

SUR SA TRAGÉDIE
DE LA MORT DE CÉSAR

A M. L'ABBÉ DESFONTAINES (2)

A Cirey, le 14 novembre 1735.

Si l'amitié vous a dicté, Monsieur, ce que j'ai lu dans la feuille trente-quatrième que vous m'avez envoyée, mon cœur

---

(1) Jean-Baptiste Nicolas de Formont, auteur de quelques chansons et de quelques lettres ; homme charmant, simple, spirituel et toujours souriant ; ami de Mme du Deffand qui le trouvait « délicieux », et de Voltaire qui l'appelait « cher philosophe, poète aimable, plein de grâce et de raison ». On retrouvera ces épithètes dans les vers à M. de Formont, que nous avons donnés au volume des *Poésies* de Voltaire, p. 36.

(2) L'abbé Desfontaines (1685-1745). Il avait publié en 1732-1733 une feuille littéraire : *Les Nouvelles du Parnasse ou Réflexions sur les ouvrages nou-*

en est bien plus touché que mon amour-propre n'avait été blessé des feuilles précédentes. Je ne me plaignais pas de vous comme d'un critique, mais comme d'un ami, car mes ouvrages méritent beaucoup de censure ; mais moi, je ne méritais pas la perte de votre amitié. Vous avez dû juger, à l'amertume avec laquelle je m'étais plaint à vous-même, combien vos procédés m'avaient affligé ; et vous avez vu, par mon silence sur tous les autres critiques, à quel point j'y suis sensible. J'avais envoyé à Paris, à plusieurs personnes, la dernière scène, traduite de Shakspeare, dont j'avais retranché quelque chose pour la représentation d'Harcourt (1), et que l'on a encore beaucoup tronquée dans l'impression. Cette scène était accompagnée de quelques réflexions sur vos critiques. Je ne sais si mes amis les feront imprimer ou non ; mais je sais que, quoique ces réflexions aient été faites dans la chaleur de mon ressentiment, elles n'en étaient pas moins modérées. Je crois que M. l'abbé Asselin les a, il peut vous les montrer, mais il faut regarder tout cela comme non avenu.

Il importe peu au public que la *Mort de César* soit une bonne ou une méchante pièce ; mais il me semble que les amateurs des lettres auraient été bien aises de voir quelques dissertations instructives sur cette espèce de tragédie qui est si étrangère à notre théâtre. Vous en avez parlé et jugé comme si elle avait été destinée aux comédiens français. Je ne crois pas que vous ayez voulu, en cela, flatter l'envie et la malignité de ceux qui travaillent dans ce genre ; je crois plutôt que, rempli de l'idée de notre théâtre, vous m'avez jugé sur les modèles que vous connaissez. Je suis persuadé que vous auriez rendu un service aux belles-lettres, si au lieu de parler en peu de mots de cette tragédie comme d'une pièce ordinaire, vous aviez saisi l'occasion d'examiner le théâtre anglais, et même le théâtre d'Italie, dont elle peut donner quelque idée. La dernière scène, et quelques morceaux traduits mots pour mot de Shakspeare, ouvraient une assez grande carrière à votre goût. Le *Giulio Cesare* de l'abbé

veaux ; après une interruption de deux années, il fit paraître en 1735 une feuille nouvelle, intitulée : *Observations sur les écrits modernes*. Les critiques littéraires au XVIIIe siècle s'attirèrent des haines solides et furent lardés d'épigrammes. Desfontaines, qui était pourtant bonhomme, fut une des cibles de Piron, et, peu après la lettre ci-dessus, de Voltaire lui-même.
(1) Il s'agit d'une représentation de la *Mort de César* donnée au collège d'Harcourt (11 août 1753), à la demande du proviseur, M. l'abbé Asselin.

Conti (1), noble vénitien, imprimé à Paris il y a quelques années, pouvait vous fournir beaucoup. La France n'est pas e seul pays où l'on fasse des tragédies ; et notre goût, ou plutôt notre habitude de ne mettre sur le théâtre que de longues conversations d'amour, ne plaît pas chez les autres nations. Notre théâtre est vide d'action et de grands intérêts pour l'ordinaire. Ce qui fait qu'il manque d'action, c'est que le théâtre est offusqué par nos petits maîtres ; et ce qui fait que les grands intérêts en sont bannis, c'est que notre nation ne les connaît point. La politique plaisait du temps de Corneille, parce qu'on était tout rempli des guerres de la Fronde ; mais aujourd'hui on ne va plus à ses pièces. Si vous aviez vu jouer la scène entière de Shakspeare (2), telle que je l'ai vue, et telle que je l'ai à peu près traduite, nos déclarations d'amour et nos confidentes vous paraîtraient de pauvres choses auprès. Vous devez connaître, à la manière dont j'insiste sur cet article, que je suis revenu à vous de bonne foi, et que mon cœur, sans fiel et sans rancune, se livre au plaisir de vous servir, autant qu'à l'amour de la vérité. Donnez-moi donc des preuves de votre sensibilité et de la bonté de caractère. Écrivez-moi ce que vous pensez et ce que l'on pense sur les choses dont vous m'avez dit un mot dans votre dernière lettre. La pénitence que je vous impose est de m'écrire au long ce que vous croyez qu'il y ait à corriger dans mes ouvrages, dont on prépare en Hollande une très belle édition. Je veux avoir votre sentiment et celui de vos amis. Faites votre pénitence avec le zèle d'un homme bien converti, et songez que je mérite par mes sentiments, par ma franchise, par la vérité et la tendresse qui sont naturellement dans mes lettres, que vous vouliez goûter avec moi les douceurs de l'amitié et celles de la littérature.

---

(1) L'abbé *Antonio Conti* (1677-1749), auteur de tragédies romaines sur César, sur Drusus, sur les deux Brutus.
(2) La scène où Antoine prononce l'oraison funèbre de Jules César (A. III, sc. II dans Shakespeare ; A. III, sc. VIII dans Voltaire).

COMPLIMENTS ET REMERCIEMENTS

AU PRINCE ROYAL DE PRUSSE (1)

A Paris, le 26 auguste 1736.

Monseigneur, il faudrait être insensible pour n'être pas infiniment touché de la lettre dont Votre Altesse Royale a daigné m'honorer. Mon amour-propre en a été trop flatté, mais l'amour du genre humain que j'ai toujours eu dans le cœur, et qui, j'ose dire, fait mon caractère, m'a donné un plaisir mille fois plus pur, quand j'ai vu qu'il y a dans le monde un prince qui pense en homme, un prince philosophe qui rendra les hommes heureux.

Souffrez que je vous dise qu'il n'y a point d'homme sur la terre qui ne doive des actions de grâces au soin que vous prenez de cultiver par la saine philosophie une âme née pour commander. Croyez qu'il n'y a eu de véritablement bons rois que ceux qui ont commencé comme vous par s'instruire, par connaître les hommes, par aimer le vrai, par détester la persécution et la superstition. Il n'y a point de prince qui, en pensant ainsi, ne puisse ramener l'âge d'or dans ses États. Pourquoi si peu de rois recherchent-ils cet avantage ? Vous le sentez, monseigneur, c'est que presque tous songent plus à la royauté qu'à l'humanité : vous faites précisément le contraire. Soyez sûr que si, un jour, le tumulte des affaires et la méchanceté des hommes n'altèrent point un si divin caractère, vous serez adoré de vos peuples et chéri du monde entier. Les philosophes dignes de ce nom voleront dans vos États ; et, comme les artisans célèbres viennent en foule dans le pays où leur art est le plus favorisé, les hommes qui pensent viendront entourer votre trône.

L'illustre reine Christine (2) quitta son royaume pour aller chercher les arts ; régnez, monseigneur, et que les arts viennent vous chercher.

(1) Le futur Frédéric II. Cette lettre, la première que Voltaire écrivit à ce prince, répond à celle que le prince lui avait adressée le 8 août 1736 et qu'on trouvera p. 153.
(2) Christine de Suède, fille de Gustave-Adolphe.

Puissiez-vous n'être jamais dégoûté des sciences par les querelles des savants ! Vous voyez, monseigneur, par les choses que vous daignez me mander, qu'ils sont hommes pour la plupart, comme les courtisans mêmes. Ils sont quelquefois aussi avides, aussi intrigants, aussi faux, aussi cruels ; et toute la différence qui est entre les pestes de cour et les pestes de l'école, c'est que ces derniers sont plus ridicules.

Il est bien triste pour l'humanité que ceux qui se disent les déclarateurs des commandements célestes, les interprètes de la divinité, en un mot les théologiens soient quelquefois les plus dangereux de tous ; qu'il s'en trouve d'aussi pernicieux dans la société qu'obscurs dans leurs idées, et que leur âme soit gonflée de fiel et d'orgueil à proportion qu'elle est vide de vérités. Ils voudraient troubler la terre pour un sophisme, et intéresser tous les rois à venger par le fer et par le feu l'honneur d'un argument *in ferio* ou *in barbara* (1).

Tout être pensant qui n'est pas de leur avis est un athée ; et tout roi qui ne les favorise pas sera damné. Vous savez, monseigneur, que le mieux qu'on puisse faire, c'est d'abandonner à eux-mêmes ces prétendus précepteurs et ces ennemis réels du genre humain. Leurs paroles, quand elles sont négligées, se perdent en l'air comme du vent ; mais si le poids de l'autorité s'en mêle, ce vent acquiert une force qui renverse quelquefois le trône.

Je vois, monseigneur, avec la joie d'un cœur rempli d'amour pour le bien public, la distance immense que vous mettez entre les hommes qui cherchent en paix la vérité, et ceux qui veulent faire la guerre pour des mots qu'ils n'entendent pas. Je vois que les Newton, les Leibnitz, les Bayle, les Locke, ces âmes si élevées, si éclairées et si douces, sont ceux qui nourrissent votre esprit, et que vous rejetez les autres aliments prétendus que vous trouveriez empoisonnés ou sans substance.

Je ne saurais trop remercier Votre Altesse Royale de la bonté qu'elle a eue de m'envoyer le petit livre concernant M. Wolf. Je regarde ses idées métaphysiques comme des choses qui font honneur à l'esprit humain. Ce sont des éclairs au milieu d'une nuit profonde ; c'est tout ce qu'on peut espérer, je crois, de la métaphysique. Il n'y a pas d'apparence que les premiers principes des choses soient jamais bien connus. Les

(1) Figures du syllogisme.

souris qui habitent quelques petits trous d'un bâtiment immense, ne savent ni si ce bâtiment est éternel, ni quel en est l'architecte, ni pourquoi cet architecte a bâti. Elles tâchent de conserver leur vie, de peupler leurs trous et de fuir les animaux destructeurs qui les poursuivent. Nous sommes les souris ; et le divin Architecte qui a bâti cet univers n'a pas encore, que je sache, dit son secret à aucun de nous. Si quelqu'un peut prétendre à deviner juste, c'est M. Wolf. On peut le combattre, mais il faut l'estimer : sa philosophie est bien loin d'être pernicieuse ; y a-t-il rien de plus beau et de plus vrai que de dire, comme il fait, que les hommes doivent être justes, quand même ils auraient le malheur d'être athées ?

La protection qu'il semble que vous donnez, monseigneur, à ce savant homme, est une preuve de la justesse de votre esprit et de l'humanité de vos sentiments.

Vous avez la bonté, monseigneur, de me promettre de m'envoyer le *Traité de Dieu, de l'âme et du monde*. Quel présent, monseigneur, et quel commerce ! L'héritier d'une monarchie daigne, du sein de son palais, envoyer des instructions à un solitaire ! Daignez me faire ce présent, monseigneur, mon amour extrême pour le vrai est la seule chose qui m'en rende digne. La plupart des princes craignent d'entendre la vérité, et ce sera vous qui l'enseignerez.

A l'égard des vers dont vous me parlez, vous pensez sur cet art aussi censément que sur tout le reste. Les vers qui n'apprennent pas aux hommes des vérités neuves et touchantes ne méritent guère d'être lus : vous sentez qu'il n'y aurait rien de plus méprisable que de passer sa vie à renfermer dans des rimes des lieux communs usés, qui ne méritent pas le nom de pensées. S'il y a quelque chose de plus vil, c'est de n'être que poète satirique et de n'écrire que pour décrier les autres. Ces poètes sont au Parnasse ce que sont dans les écoles ces docteurs qui ne savent que des mots et qui cabalent contre ceux qui écrivent des choses.

Si *la Henriade* a pu ne pas déplaire à Votre Altesse Royale, j'en dois rendre grâce à cet amour du vrai, à cette horreur que mon poème inspire pour les factieux, pour les persécuteurs, pour les superstitieux, pour les tyrans et pour les rebelles. C'est l'ouvrage d'un honnête homme : il devait trouver grâce devant un prince philosophe.

Vous m'ordonnez de vous envoyer mes autres ouvrages : je vous obéirai, monseigneur ; vous serez mon juge et vous me tiendrez lieu du public. Je vous soumettrai ce que j'ai hasardé en philosophie : vos lumières seront ma récompense : c'est un prix que peu de souverains peuvent donner. Je suis sûr de votre secret ; votre vertu doit égaler vos connaissances.

Je regarderai comme un bonheur bien précieux celui de venir faire ma cour à Votre Altesse Royale. On va à Rome pour voir des églises, des tableaux, des ruines et des bas-reliefs. Un prince tel que vous mérite bien mieux un voyage : c'est une rareté plus merveilleuse. Mais l'amitié, qui me retient dans la retraite où je suis (1), ne me permet pas d'en sortir. Vous pensez sans doute comme Julien (2), ce grand homme si calomnié, qui disait que les amis doivent toujours être préférés aux rois.

Dans quelque coin du monde que j'achève ma vie, soyez sûr, monseigneur, que je ferai continuellement des vœux pour vous, c'est-à-dire pour le bonheur de tout un peuple. Mon cœur sera au rang de vos sujets ; votre gloire me sera toujours chère. Je souhaiterai que vous ressembliez toujours à vous-même, et que les autres rois vous ressemblent.

Je suis avec un profond respect, de Votre Altesse Royale, le très humble, etc.

SUR LE SIÈCLE DE LOUIS XIV

A MILORD HERVEY (3)

1740.

Je fais compliment à votre nation, milord, sur la prise de Porto-Bello (4), et sur votre place de garde des sceaux. Vous voilà fixé en Angleterre : c'est une raison pour moi d'y voyager encore. Je vous réponds bien que, si certain procès

(1) A Cirey, chez Mme du Châtelet.
(2) Julien l'Apostat.
(3) John Hervey (1696-1743), poète, philosophe et homme d'État. Il fut nommé garde des sceaux en Angleterre au commencement de l'année 1740, et abandonna ces fonctions en 1741. Voltaire l'avait connu lors de son séjour à Londres.
(4) Port de la Nouvelle-Grenade, sur la mer des Antilles ; les Anglais venaient de le prendre aux Espagnols.

est gagné (1), vous verrez arriver à Londres une petite compagnie choisie de Newtoniens à qui le pouvoir de votre attraction, et celui de milady Hervey, feront passer la mer. Ne jugez point, je vous prie, de mon *Essai sur le siècle de Louis XIV* par les deux chapitres imprimés en Hollande avec tant de fautes qui rendent mon ouvrage inintelligible (2). Si la traduction anglaise est faite sur cette copie informe, le traducteur est digne de faire une version contre l'*Apocalypse* ; mais surtout soyez un peu moins fâché contre moi de ce que j'appelle le dernier siècle le *Siècle de Louis XIV*. Je sais bien que Louis XIV n'a pas eu l'honneur d'être le maître ni le bienfaiteur d'un Bayle, d'un Newton, d'un Halley, d'un Addison, d'un Dryden ; mais dans le siècle qu'on nomme de Léon X, ce pape Léon X avait-il tout fait ? N'y avait-il pas d'autres princes qui contribuèrent à polir et à éclairer le genre humain ? Cependant le nom de Léon X a prévalu parce qu'il encouragea les arts plus qu'aucun autre. Eh ! quel roi a donc en cela rendu plus de services à l'humanité que Louis XIV ? Quel roi a répandu plus de bienfaits, a marqué plus de goût, s'est signalé par de plus beaux établissements ? Il n'a pas fait tout ce qu'il pouvait faire, sans doute, parce qu'il était homme : mais il a fait plus qu'aucun autre, parce qu'il était un grand homme ; ma plus forte raison pour l'estimer beaucoup, c'est qu'avec des fautes connues il a plus de réputation qu'aucun de ses contemporains ; c'est que, malgré un million d'hommes dont il a privé la France (3), et qui tous ont été intéressés à le décrier, toute l'Europe l'estime, et le met au rang des plus grands et des meilleurs monarques.

Nommez-moi donc, milord, un souverain qui ait attiré chez lui plus d'étrangers habiles, et qui ait plus encouragé le mérite dans ses sujets. Soixante savants de l'Europe reçurent à la fois des récompenses de lui, étonnés d'en être connus.

« Quoique le roi ne soit pas votre souverain, leur écrivait M. Colbert, il veut être votre bienfaiteur ; il m'a commandé de vous envoyer la lettre de change ci-jointe, comme un gage

(1) Un procès que l'amie de Voltaire, Mme du Châtelet, avait alors à Bruxelles.
(2) Il s'agit de l'Introduction et du chapitre premier de l'*Essai sur le siècle de Louis XIV*, qui venaient d'être publiés à Amsterdam.
(3) Par la *révocation de l'Édit de Nantes*.

de son estime. » Un Bohémien, un Danois, recevaient de ces lettres datées de Versailles. Guglielmini bâtit une maison à Florence des bienfaits de Louis XIV ; il mit le nom de ce roi sur le frontispice ; et vous ne voulez pas qu'il soit à la tête du siècle dont je parle !

Ce qu'il a fait dans son royanme doit servir à jamais d'exemple. Il chargea de l'éducation de son fils et de son petit-fils les plus éloquents et les plus savants hommes de l'Europe. Il eut l'attention de placer trois enfants de Pierre Corneille, deux dans les troupes, et l'autre dans l'Église ; il excita le mérite naissant de Racine par un présent considérable pour un jeune homme inconnu et sans bien ; et, quand ce génie se fut perfectionné, ces talents, qui souvent sont l'exclusion de la fortune, firent la sienne. Il eut plus que la fortune, il eut la faveur, et quelquefois la familiarité d'un maître dont un regard était un bienfait ; il était, en 1688 et 1689, de ces voyages de Marly tant brigués par les courtisans : il couchait dans la chambre du roi pendant ses maladies, et lui lisait ces chefs-d'œuvre d'éloquence et de poésie qui décoraient ce beau règne.

Cette faveur, accordée avec discernement, est ce qui produit de l'émulation et qui échauffe les grands génies ; c'est beaucoup de faire des fondations, c'est quelque chose de les soutenir ; mais s'en tenir à ces établissements, c'est souvent préparer les mêmes asiles pour l'homme inutile et pour le grand homme ; c'est recevoir dans la même ruche l'abeille et le frelon.

Louis XIV songeait à tout ; il protégeait les Académies, et distinguait ceux qui se signalaient. Il ne prodiguait point ses faveurs à un genre de mérite, à l'exclusion des autres, comme tant de princes qui favorisent non ce qui est bon, mais ce qui leur plaît : la physique et l'étude de l'antiquité attirèrent son attention. Elle ne se ralentit pas même dans les guerres qu'il soutenait contre l'Europe ; car, en bâtissant trois cents citadelles, en faisant marcher quatre cent mille soldats, il faisait élever l'Observatoire, et tracer une méridienne d'un bout du royaume à l'autre, ouvrage unique dans le monde. Il faisait imprimer dans son palais les traductions des bons auteurs grecs et latins (1) ; il envoyait des géomètres et des physiciens au fond de l'Afrique et de l'Amérique

(1) On imprima en effet au Louvre des éditions dites *ad usum Delphini*.

chercher de nouvelles connaissances. Songez, milord, que, sans le voyage et les expériences de ceux qu'il envoya à Cayenne, en 1672, et sans les mesures de M. Picard (1), jamais Newton n'eût fait ses découvertes sur l'attraction. Regardez, je vous prie, un Cassini et un Huygens qui renoncent tous deux à leur patrie qu'ils honorent, pour venir en France jouir de l'estime et des bienfaits de Louis XIV. Et pensez-vous que les Anglais mêmes ne lui aient pas d'obligation ? Dites-moi, je vous prie, dans quelle cour Charles II puisa tant de politesse et tant de goût. Les bons auteurs de Louis XIV n'ont-ils pas été vos modèles ? N'est-ce pas d'eux que votre sage Addison, l'homme de votre nation qui avait le goût le plus sûr, a tiré souvent ses excellentes critiques ? L'évêque Burnet (2) avoue que ce goût, acquis en France par les courtisans de Charles II, réforma chez vous jusqu'à la chaire, malgré la différence de nos religions ; tant la saine raison a partout d'empire ! Dites-moi si les bons livres de ce temps n'ont pas servi à l'éducation de tous les princes de l'empire. Dans quelles cours de l'Allemagne n'a-t-on pas vu des théâtres français ? Quel prince ne tâchait pas d'imiter Louis XIV ? Quelle nation ne suivait pas alors les modes de la France ?

Vous m'apportez, milord, l'exemple du czar Pierre le Grand, qui a fait naître les arts dans son pays, et qui est le créateur d'une nation nouvelle ; vous me dites cependant que son siècle ne sera pas appelé dans l'Europe le *Siècle du czar Pierre* ; vous en concluez que je ne dois pas appeler le siècle passé le *Siècle de Louis XIV*. Il me semble que la différence est bien palpable. Le czar Pierre s'est introduit chez les autres peuples ; il a porté leurs arts chez lui ; mais Louis XIV a instruit les nations ; tout, jusqu'à ses fautes, leur a été utile. Des protestants, qui ont quitté ses États, ont porté chez vous-mêmes une industrie qui faisait la richesse de la France. Comptez-vous pour rien tant de manufactures de soie et de cristaux ? Ces dernières surtout furent perfectionnées chez vous par nos réfugiés, et nous avons perdu ce que vous avez acquis.

(1) L'abbé Jean Picard (1620-1683), astronome français ; il publia *la Mesure de la Terre* (1671), et détermina la fondation de l'Observatoire de Paris.
(2) Gilbert Burnet (1643-1715), évêque de Salisbury. Fut un ardent polémiste. Son principal ouvrage est une *Histoire de la réformation de l'Église d'Angleterre* en 5 volumes.

Enfin, la langue française, milord, est devenue presque la langue universelle. A qui en est-on redevable ? Était-elle aussi étendue du temps de Henri IV ? Non, sans doute ; on ne connaissait que l'italien et l'espagnol. Ce sont nos excellents écrivains qui ont fait ce changement. Mais qui a protégé, employé, encouragé, ces excellents écrivains ? C'était M. Colbert, me direz-vous ; je l'avoue et je prétends bien que le ministre doit partager la gloire du maître. Mais qu'eût fait un Colbert sous un autre prince, sous votre roi Guillaume (1), qui n'aimait rien ; sous le roi d'Espagne Charles II, sous tant d'autres souverains ?

Croiriez-vous bien, milord, que Louis XIV a réformé le goût de sa cour en plus d'un genre ? Il choisit Lulli pour son musicien, et ôta le privilège à Cambert (2), parce que Cambert était un homme médiocre, et Lulli un homme supérieur. Il savait distinguer l'esprit du génie ; il donnait à Quinault les sujets de ses opéras ; il dirigeait les peintures de Lebrun, il soutenait Boileau, Racine et Molière contre leurs ennemis ; il encourageait les arts utiles comme les beaux-arts, et toujours en connaissance de cause : il prêtait de l'argent à Van Robais (3) pour établir ses manufactures ; il avançait des millions à la compagnie des Indes, qu'il avait formée ; il donnait des pensions aux savants et aux braves officiers. Non seulement il s'est fait de grandes choses sous son règne, mais c'est lui qui les faisait. Souffrez donc, milord, que je tâche d'élever à sa gloire un monument que je consacre encore plus à l'utilité du genre humain.

Je ne considère pas seulement Louis XIV parce qu'il a fait du bien aux Français, mais parce qu'il a fait du bien aux hommes ; c'est comme homme et non comme sujet, que j'écris ; je veux peindre le dernier siècle, et non pas simplement un prince. Je suis las des histoires où il n'est question que des aventures d'un roi, comme s'il existait seul, ou que rien n'existât que par rapport à lui ; en un mot, c'est encore plus d'un grand siècle que d'un grand roi que j'écris l'histoire.

Pélisson eût écrit plus éloquemment que moi ; mais il

(1) Guillaume III (1688-1702).
(2) Cambert (1628-1677) avait obtenu avec l'abbé Perrin le privilège de fonder une Académie royale de musique (1669). Il fut dépossédé de son privilège dès l'année suivante par Lulli.
(3) Van Robais (1630-1685), créateur de l'industrie du drap en France.

était courtisan, et il était payé. Je ne suis ni l'un ni l'autre ; c'est à moi qu'il appartient de dire la vérité.

J'espère que dans cet ouvrage vous trouverez, milord, quelques-uns de vos sentiments ; plus je penserai comme vous, plus j'aurai droit d'espérer l'approbation publique.

SUR BOILEAU

A M. HELVÉTIUS

A Bruxelles, ce 20 juin 1741.

Je me gronde bien de ma paresse, mon cher et aimable ami ; mais j'ai été si indignement occupé de prose depuis un mois, que j'osais à peine vous parler de vers. Mon imagination s'appesantit dans des études qui sont à la poésie ce que des garde-meubles sombres et poudreux sont à une salle de bal bien éclairée. Il faut secouer la poussière pour vous répondre. Vous m'avez écrit, mon charmant ami, une lettre où je reconnais votre génie. Vous ne trouvez point Boileau assez fort ; il n'a rien de sublime, son imagination n'est point brillante, j'en conviens avec vous ; aussi il me semble qu'il ne passe pas pour un poète sublime, mais il a bien fait ce qu'il pouvait et ce qu'il voulait faire. Il a mis la raison en vers harmonieux ; il est clair, conséquent, facile, heureux dans ses transitions ; il ne s'élève, mais il ne tombe guère. Ses sujets ne comportent pas cette élévation dont ceux que vous traitez sont susceptibles. Vous avez senti votre talent, comme il a senti le sien. Vous êtes philosophe, vous voyez tout en grand ; votre pinceau est fort et hardi. La nature en tout cela vous a mis, je vous le dis avec la plus grande sincérité, fort au-dessus de Despréaux ; mais ces talents-là, quelque grands qu'ils soient, ne seront rien sans les siens. Vous avez d'autant plus besoin de son exactitude, que la grandeur souffre moins la gêne et l'esclavage. Il ne vous coûte point de penser, mais il coûte infiniment d'écrire. Je vous prêcherai donc éternellement cet art d'écrire que Despréaux a si bien connu et si bien enseigné, ce respect pour la langue, cette liaison, cette suite d'idées, cet air aisé avec lequel il conduit son lecteur, ce naturel qui est le fruit de l'art, et cette apparence de facilité qu'on ne doit qu'au travail. Un mot mis hors de sa place gâte la plus belle pensée. Les idées de Boileau, je l'avoue encore, ne sont jamais grandes, mais elles ne sont jamais défigurées ; enfin, pour être au-dessus de lui, il faut commencer par écrire aussi nettement et aussi correctement que lui.

Votre danse haute ne doit pas se permettre un faux pas ; il n'en fait point dans ses petits menuets. Vous êtes brillant de pierreries ; son habit est simple, mais bien fait. Il faut que vos diamants soient bien mis en ordre, sans quoi vous auriez un air gêné avec le diadème en tête. Envoyez-moi donc, mon cher ami, quelque chose d'aussi bien travaillé que vous imaginez noblement ; ne dédaignez point tout à la fois d'être possesseur de la mine et ouvrier de l'or qu'elle produit. Vous sentez combien, en vous parlant ainsi, je m'intéresse à votre gloire et à celle des arts. Mon amitié pour vous a redoublé encore à votre dernier voyage. J'ai bien la mine de ne plus faire de vers. Je ne veux plus aimer que les vôtres. Mme du Châtelet, qui vous a écrit, vous fait mille compliments. Adieu ; je vous aimerai toute ma vie.

EXCUSE DE SON SILENCE

A FRÉDÉRIC II

Avril 1742.

Sire, pendant que j'étais malade, Votre Majesté a fait plus de belles actions que je n'ai eu d'accès de fièvre. Je ne pouvais répondre aux dernières bontés de Votre Majesté. Où aurais-je d'ailleurs adressé ma lettre ? à Vienne ? à Presbourg ? à Temesvar ? vous pouviez être dans quelqu'une de ces villes ; et même, s'il est un être qui puisse se trouver en plusieurs lieux à la fois, c'est assurément votre personne, en qualité d'image de la Divinité, ainsi que le sont tous les princes, et d'image très pensante et très agissante. Enfin, sire, je n'ai point écrit parce que j'étais dans mon lit quand Votre Majesté courait à cheval au milieu des neiges et des succès.

> D'Esculape les favoris
> Semblaient même me faire accroire
> Que j'irais dans le seul pays
> Où n'arrive point votre gloire ;

Dans ce pays dont par malheur
On ne voit point de voyageur
Venir nous dire des nouvelles ;
Dans ce pays ou tous les jours
Les âmes lourdes et cruelles,
Et des Hongrois et des Pandours,
Vont au diable au son des tambours,
Par votre ordre et pour vos querelles ;
Dans ce pays dont tout chrétien,
Tout juif, tout musulman raisonne ;
Dont on parle en chaire, en Sorbonne,
Sans jamais en deviner rien ;
Ainsi que le Parisien,
Badaud, credule et satirique,
Fait des romans de politique,
Parle tantôt mal, tantôt bien,
De Belle-Isle et de vous peut-être,
Et dans son léger entretien
Vous juge à fond sans vous connaître.

Je n'ai mis qu'un pied sur le bord du Styx ; mais je suis
très fâché, sire, du nombre des pauvres malheureux que
j'ai vu passer. Les uns arrivaient de Scharding, les autres de
Prague ou d'Iglau. Ne cesserez-vous point, vous et les rois
vos confrères, de ravager cette terre que vous avez, dites-
vous, tant l'envie de rendre heureuse ?

Au lieu de cette horrible guerre
Dont chacun sent les contre-coups,
Que ne vous en rapportez-vous
A ce bon abbé de Saint-Pierre ?

A PROPOS DE SA TRAGÉDIE
DE MAHOMET

A M. L'ABBÉ AUNILLON (1)

Octobre 1742.

Allah ! illah ! Allah ! Mahomed rezoul Allah ! (2)

Je baise les barbes de la plume du sage Aunillon fils
d'Aunillon, resplendissant entre tous les imans de la foi du
Christ.

(1) L'abbé Aunillon (1644-1766.) qui lui avait écrit, à propos de *Mahomet*, une
lettre imitant le style oriental.
(2) « Il n'y a pas d'autre dieu que Dieu ! Mahomet est son prophète, »

Votre lettre a été pour moi ce que la rosée est pour les fleurs, et les rayons du soleil pour le tournesol. Que Dieu vous couronne de prospérité, comme vous l'êtes de sagesse, et qu'il augmente la rondeur de votre face! Mon cœur sera dilaté de joie et la reconnaissance sera dans lui comme sur mes lèvres, quand mes yeux pourront lire les doctes pages du généreux iman qui fortifie la faiblesse de mon drame par la force de son éloquence. J'attends avec impatience sa docte dissertation. Mais comme la poste des infidèles est très chère, et que le plus petit paquet coûte un sultanin (1), je vous supplie de vouloir mettre promptement au coche de Bruxelles cet écrit bien ficelé et point cacheté selon les usages de la peu sublime Porte de Bruxelles. Ce paquet arrivera en six ou sept jours, attendu qu'il n'y a que dix-sept cent vingt-huit stades de Paris à celle où la divine Providence nous retient actuellement. Que Dieu vous accorde toutes les églantines de Toulouse et toutes les médailles des Quarante! Que le bordereau de la fortune tombe de ses mains dans les vôtres !

Ecrit dans mon bouge, sur la place de Louvain (2), affligé d'une énorme colique, le 8 de la lune du neuvième mois, l'an de l'hégire 1222...

Si la divine Providence permet que vous voyiez le plus généreux et le plus aimable des enfants des hommes, d'Argental fils de Ferrial, dont Dieu croisse la chevance (3), nous vous prions de l'assurer que nous soupirons après l'honneur de le voir avec plus d'ardeur que les adjes (4) ne soupirent après la vue de la pierre noire de Caaba (5), et qu'il sera toujours, ainsi que sa compagne ornée de grâces, l'objet des plus vives tendresses de notre cœur.

---

(1) Monnaie musulmane.
(2) Voltaire séjournait alors dans cette ville.
(3) *Chevance* : « le bien qu'on a » (Littré).
(4) *Adjes*, plus exactement *hadji*, pèlerins qui vont à la Mecque.
(5) *Caaba* ou *Kaaba*, édifice quadrangulaire qui se trouve dans la mosquée sainte à la Mecque, et dans lequel est une miraculeuse pierre noire que les adjes viennent baiser.

UN EMBARRAS DE VOITURES

A M. LE PRÉSIDENT HÉNAULT

A Champs (1), ce 14 septembre 1744.

Le roi pour charmer son ennui,
Vous lit, et voit votre personne ;
La gloire a des charmes pour lui,
Puisqu'il voit celui qui la donne.

En qualité de bon citoyen et de votre serviteur, je dois être charmé que le roi vous lise, et je le serais plus encore s'il vous écoutait. Vous savez bien, très honorable président, que vous avez tiré Mme du Châtelet du plus grand embarras du monde ; car cet embarras commençait à la Croix-des-Petits-Champs et finissait à l'hôtel de Charost (2) ; c'était des reculades de deux mille carrosses, en trois files, des cris de deux ou trois cent mille hommes semés auprès des carrosses, des ivrognes, des combats à coups de poing, des fontaines de vin et de suif qui coulaient sur le monde, le guet à cheval qui augmentait l'imbroglio ; et, pour comble d'agréments, Son Altesse Royale revenant paisiblement au Palais-Royal avec ses grands carrosses, ses gardes, ses pages, et tout cela ne pouvant ni avancer, ni reculer, jusqu'à trois heures du matin. J'étais avec Mme du Châtelet ; un cocher qui n'était jamais venu à Paris l'allait faire rouer intrépidement. Elle était couverte de diamants ; elle met pied à terre, criant à l'aide, traverse la foule, sans être ni volée, ni bourrée, entre chez vous, envoie chercher la poularde chez le rôtisseur du coin, et nous buvons à votre santé, tout doucement dans cette maison où tout le monde voudrait vous voir revenir.

(1) Petit village à 2 kilomètres de la Marne, non loin de Chelles (Seine-et-Marne). Le duc de la Vallière y avait un château.
(2) Près la place Vendôme.

PROPOS LITTÉRAIRES

A VAUVENARGUES

Versailles, le 7 janvier 1745.

Le dernier ouvrage (1) que vous avez bien voulu m'envoyer, monsieur, est une nouvelle preuve de votre grand goût, dans un siècle où tout me semble un peu petit et où le faux bel esprit s'est mis à la place du génie.

Je crois que si on s'est servi du terme d'*instinct* pour caractériser La Fontaine, ce mot d'*instinct* signifiait génie. Le caractère de ce bonhomme était si simple, que dans la conversation il n'était guère au-dessus des animaux qu'il faisait parler ; mais comme poète il avait un instinct divin, et d'autant plus *instinct* qu'il n'avait que ce talent. L'abeille est admirable, mais c'est dans sa ruche ; hors de là, l'abeille n'est qu'une mouche.

J'aurais bien des choses à vous dire sur Boileau et sur Molière. Je conviendrais sans doute que Molière est inégal dans ses vers, mais je ne conviendrais pas qu'il ait choisi des personnages et des sujets trop bas. Les ridicules fins et déliés dont vous parlez ne sont agréables que pour un petit nombre d'esprits déliés. Il faut au public des traits plus marqués. De plus, ces ridicules si délicats ne peuvent guère fournir des personnages de théâtre. Un défaut presque imperceptible n'est guère plaisant. Il faut des ridicules forts, des impertinences dans lesquelles il entre de la passion, qui soient propres à l'intrigue. Il faut un joueur, un avare, un jaloux, etc. Je suis d'autant plus frappé de cette vérité, que je suis actuellement occupé d'une fête pour le mariage de M. le Dauphin, dans laquelle il entre une comédie (2), et je m'aperçois plus que jamais que ce délié, ce fin, ce délicat, qui font le charme de la conversation, ne conviennent guère au théâtre. C'est

---

(1) *Réflexions critiques sur quelques poètes.*

(2) *La Princesse de Navarre*, comédie-ballet en trois actes composée pour la fête donnée à l'occasion du mariage de M. le Dauphin avec Marie-Thérèse, infante d'Espagne. La première représentation eut lieu à Versailles le 23 février 1745.

cette fête qui m'empêche d'entrer avec vous, monsieur, dans un plus long détail, et de vous soumettre mes idées ; mais rien ne m'empêche de sentir le plaisir que me donnent les vôtres.

Je ne prêterai à personne le dernier manuscrit que vous avez eu la bonté de me confier. Je ne pus refuser le premier à une personne digne d'en être touchée. La singularité frappante de *cet ouvrage, en faisant des admirateurs, a fait nécessairement des indiscrets.* L'ouvrage a couru. Il est tombé entre les mains de M. de La Bruère, qui, n'en connaissant pas l'auteur, a voulu, dit-on, en enrichir son *Mercure.* Ce M. de La Bruère est un homme de mérite et de goût. Il faudra que vous lui pardonniez. Il n'aura pas toujours de pareils présents à faire au public. J'ai voulu en arrêter l'impression, mais on m'a dit qu'il n'en était plus temps. Avalez, je vous en prie, ce petit dégoût, si vous haïssez la gloire.

Votre état me touche à mesure que je vois les productions de votre esprit si vrai, si naturel, si facile et quelquefois si sublime. Qu'il serve à vous consoler, comme il servira à me charmer. Conservez-moi une amitié que vous devez à celle que vous m'avez inspirée. Adieu, monsieur ; je vous embrasse tendrement.

REMERCIEMENTS

A MADAME LA MARQUISE DE POMPADOUR

Juillet 1745.

Sincère et tendre Pompadour
(Car je peux vous donner d'avance
Ce nom qui rime avec l'amour,
Et qui sera bientôt le plus beau nom de France),
Ce tokai dont Votre Excellence
Dans Etioles me régala
N'a-t-il pas quelque ressemblance
Avec le roi qui le donna ?
Il est, comme lui, sans mélange ;
Il unit, comme lui, la force à la douceur,
Plaît aux yeux, enchante le cœur,
Fait du bien et jamais ne change.

Le vin que m'apporta l'ambassadeur manchot du roi de Prusse (qui n'est pas manchot), derrière son tombereau d'Allemagne, qu'il appelle *carrasse*, n'approche pas du tokai que vous m'avez fait boire. Il n'est pas juste que le vin d'un roi du Nord égale celui d'un roi de France, surtout depuis que le roi de Prusse a mis de l'eau dans son vin par sa paix de Breslau.

Dufresny a dit, dans une chanson, que les rois ne se faisaient la guerre que parce qu'ils ne buvaient jamais ensemble : il se trompe ; François Ier avait soupé avec Charles-Quint et vous savez ce qui s'ensuivit. Vous trouverez, en remontant plus haut, qu'Auguste avait fait cent soupers avec Antoine. Non, madame, ce n'est pas le souper qui fait l'amitié...

L'ARRIVÉE A LA COUR DE FRÉDÉRIC II

A M. LE COMTE D'ARGENTAL (1)

A Potsdam, ce 24 juillet 1750.

Mes divins anges, je vous salue du ciel de Berlin ; j'ai passé par le purgatoire pour y arriver. Une méprise m'a retenu quinze jours à Clèves, et malheureusement ni la duchesse de Clèves, ni le duc de Nemours (2) n'étaient dans le château. Les ordres du roi pour les relais ont été arrêtés quinze jours entiers ; j'aurais dû consacrer ces quinze jours à *Aurélie* (3), et je ne les ai employés qu'à me donner des indigestions. Je vous fais ma confession, mes anges. Enfin me voici dans ce séjour autrefois sauvage, et qui est aujourd'hui aussi embelli par les arts qu'ennobli par la gloire. Cent cinquante mille soldats victorieux, point de procureurs, opéra, comédie, philosophie, poésie, un héros philosophe et poète, grandeur et grâce, grenadiers et Muses, trompettes et violons, repas de

(1) Charles-Augustin de Ferriol, comte d'Argental (1700-1788). Il était frère de Pont-de-Veyle et neveu du cardinal du Tencin. Il n'a pas écrit, mais il avait beaucoup de goût littéraire ; il est surtout connu par sa longue amitié avec Voltaire, dont il fut le confident et qui l'appelait son *ange gardien*, ou, plus brièvement, son ange. Il s'était marié en 1737 avec Jeanne du Bouchet, fille d'un surintendant du duc de Berry ; d'où le pluriel « mes divins anges ».

(2) Personnages du roman de Mme de la Fayette : *la Princesse de Clèves*.

(3) *Aurélie*, tragédie à laquelle Voltaire travaillait et qu'il appela définitivement *Rome sauvée*.

Platon, société et liberté ! Qui le croirait ? Tout cela pourtant est vrai, et tout cela ne m'est pas plus précieux que nos petits soupers. Il faut avoir vu Salomon dans sa gloire ; mais il faut vivre auprès de vous, avec M. de Choiseul et M. l'abbé de Chauvelin (1). Que cette lettre, je vous en prie, soit pour eux ; qu'ils sachent à quel point je les regrette, même quand j'entends Frédéric le Grand. Je suis tout honteux d'avoir ici l'appartement de M. le maréchal de Saxe. On a voulu mettre l'historien dans la chambre du héros.

> A de pareils honneurs je n'ai point dû m'attendre ;
> Timide, embarrassé, j'ose à peine en jouir.
> Quinte-Curce lui-même aurait-il pu dormir,
> S'il eût osé coucher dans le lit d'Alexandre ?

Mais dans quel lit couchez-vous, vous autres ? Est-ce auprès du Bois de Boulogne ? est-ce à Plombières ? est-ce à Paris ? Mme d'Argental a-t-elle eu besoin des eaux ? Il y a un mois que j'ignore ce que j'ai le plus envie de savoir. On m'a mandé que *l'Esprit et le sentiment* de Mme de Graffigny avait réussi. Ma troupe a joué chez moi *Jules César*.

Mais je ne sais point ce que font mes anges ; j'ai attendu pour leur écrire, que je fusse un peu stable, et que je pusse recevoir de leurs nouvelles. J'en attends avec la double impatience de l'absence et de l'amitié.

Adieu mes anges ; mon Frédéric le grand fait un peu de tort à Aurélie. Il prend mon temps et mon âme. La caverne d'Euripide vaut mieux, pour faire une tragédie, que les agréments d'une cour. Les devoirs et les plaisirs sont les ennemis mortels d'un si grand ouvrage.

Conservez-moi tous des bontés qui me feront adorer votre société, et chérir *poemata tragica et omnes has nugas*, jusqu'au dernier moment de ma vie.

---

(1) Henri-Philippe de Chauvelin (1716-1770), chanoine de Notre-Dame, conseiller au parlement de Paris, l'un des plus ardents parmi les jansénistes. Il travailla de toutes ses forces à la ruine des jésuites.

FROISSEMENTS

A MADAME DENIS (1)

2 septembre 1751.

J'ai encore le temps, ma chère enfant, de vous envoyer un nouveau paquet. Vous y trouverez une lettre de La Mettrie pour M. le maréchal de Richelieu ; il implore sa protection. Tout lecteur qu'il est du roi de Prusse, il brûle de retourner en France. Cet homme si gai, et qui passe pour rire de tout, pleure quelquefois comme un enfant d'être ici. Il me conjure d'engager M. de Richelieu à lui obtenir sa grâce. En vérité, il ne faut jurer de rien sur l'apparence.

La Mettrie, dans ses préfaces, vante son extrême félicité d'être auprès d'un grand roi qui lui lit quelquefois ses vers, et en secret il pleure avec moi. Il voudrait s'en retourner à pied ; mais moi !... pourquoi suis-je ici ? Je vais bien vous étonner.

Ce La Mettrie est un homme sans conséquence, qui cause familièrement avec le roi, après la lecture. Il me parle avec confiance ; il m'a juré que, en parlant au roi, ces jours passés, de ma prétendue faveur et de la petite jalousie qu'elle excite, le roi lui avait répondu: « J'aurai besoin de lui encore un an, tout au plus ; on presse l'orange, et on en jette l'écorce. »

Je me suis fait répéter ces douces paroles ; j'ai redoublé mes interrogations ; il a redoublé ses serments. Le croirez-vous ? dois-je le croire ? Cela est-il possible ? Quoi ! après seize ans de bontés, d'offres, de promesses ; après la lettre qu'il a voulu que vous gardassiez comme un gage inviolable de sa parole ! et dans quel temps encore, s'il vous plaît ? Dans le temps que je lui sacrifie tout pour le servir, que non seulement je corrige ses ouvrages, mais que je lui fais à la marge une rhétorique, une poétique suivie, composée de toutes les réflexions que je fais sur les propriétés de notre langue à l'occasion des petites fautes que je peux remarquer ; ne cherchant qu'à aider son génie, qu'à l'éclairer, et qu'à le mettre en état de se passer en effet de mes soins.

(1) Fille de la sœur de Voltaire, Mme Mignot. Elle devint veuve en 1744 et vécut, dès lors, presque continuellement avec son oncle.

Je me faisais assurément un plaisir et une gloire de cultiver son génie ; tout servait à mon illusion. Un roi qui a gagné des batailles et des provinces, un roi du Nord qui fait des vers en notre langue, un roi enfin que je n'avais pas cherché, et qui me disait qu'il m'aimait, pourquoi m'aurait-il fait tant d'avances ? Je m'y perds ! je n'y conçois rien. J'ai fait ce que j'ai pu pour ne point croire La Mettrie.

Je ne sais pourtant. En relisant ses vers, je suis tombé sur une épître à un peintre nommé Pesne, qui est à lui ; en voici les premiers vers :

> Quel spectacle étonnant vient de frapper mes yeux !
> Cher Pesne, ton pinceau te place au rang des dieux.

Ce Pesne est un homme qu'il ne regarde pas. Cependant c'est *le cher Pesne,* c'est un *dieu*. Il pourrait bien en être autant de moi, c'est-à-dire pas grand'chose. Peut-être que, dans tout ce qu'il écrit, son esprit seul le conduit, et le cœur est bien loin. Peut-être que toutes ces lettres, où il me prodiguait des bontés si vives et si touchantes, ne voulaient rien dire du tout.

Voilà de terribles armes que je vous donne contre moi. Je serai bien condamné d'avoir succombé à tant de caresses. Vous me prendrez pour M. Jourdain qui disait : « Puis-je rien refuser à un seigneur de la cour qui m'appelle son cher ami (1) ? » Mais je vous répondrai : « C'est un roi aimable. »

Vous imaginez bien quelles réflexions, quel retour, quel embarras, et, pour tout dire, quel chagrin le vœu de La Mettrie fait naître. Vous m'allez dire : « Partez » ; mais moi je ne peux pas dire : « Partons. » Quand on a commencé quelque chose il faut le finir, et j'ai deux éditions sur les bras, et des engagements pris pour quelques mois. Je suis en presse de tous les côtés. Que faire ? ignorer que La Mettrie m'ait parlé, ne me confier qu'à vous, tout oublier et attendre. Vous serez sûrement ma consolation. Je ne dirai point de vous : « Elle m'a trompé en me jurant qu'elle m'aimait. » Quand vous seriez reine, vous seriez sincère.

(1) *Le Bourgeois gentilhomme.*

VOLTAIRE DÉSENCHANTÉ

A LA MÊME

A Berlin, le 18 décembre 1752.

Je vous envoie, ma chère enfant, les deux contrats du duc de Wurtemberg (1) ; c'est une petite fortune assurée pour votre vie. J'y joins mon testament. Ce n'est pas que je croie à votre ancienne prédiction que le roi de Prusse me *ferait mourir de chagrin*. Je ne me sens pas d'humeur à mourir d'une si sotte mort ; mais la nature me fait beaucoup plus de mal que lui et il faut toujours avoir son paquet prêt et le pied à l'étrier, pour voyager dans cet autre monde, où, quelque chose qui arrive, les rois n'auront pas grand crédit. Comme je n'ai pas dans ce monde-ci cent cinquante mille moustaches à mon service, je ne prétends point du tout faire la guerre. Je ne songe qu'à déserter honnêtement, à prendre soin de ma santé, à vous revoir, à oublier ce rêve de trois années.

Je vois bien *qu'on a pressé l'orange* ; il faut penser à sauver l'écorce (2). Je vais me faire, pour mon instruction, un petit dictionnaire à l'usage des rois.

Mon ami signifie *mon esclave.*

Mon cher ami veut dire *vous m'êtes plus qu'indifférent.*

Entendez par : *je vous rendrai heureux : je vous souffrirai tant que j'aurai besoin de vous.*

Soupez avec moi ce soir signifie *je me moquerai de vous ce soir.*

Le dictionnaire peut être long ; c'est un article à mettre dans l'*Encyclopédie.*

Sérieusement, cela serre le cœur. Tout ce que j'ai vu est-il possible ? Se plaire à mettre mal ensemble ceux qui vivent ensemble avec lui ! Dire à un homme les choses les plus tendres, et écrire contre lui des brochures ! et quelles brochures (3) ! Arracher un homme à sa patrie par les promesses

---

(1) Pour un prêt que Voltaire avait fait au duc moyennant des rentes viagères à son profit et à celui de Mme Denis.

(2) Voy. la lettre précédente.

(3) Il s'agit de la *Lettre d'un académicien de Berlin à un académicien de Paris* écrite par Frédéric en faveur de Maupertuis ; Voltaire y est vertement attaqué.

les plus sacrées, et le maltraiter avec la malice la plus noire ! que de contrastes ! Et c'est là l'homme qui m'écrivait tant de choses philosophiques, et que j'ai cru philosophe ! et je l'ai appelé le *Salomon du Nord* !

Vous vous souvenez de cette belle lettre qui ne vous a jamais rassurée. *Vous êtes philosophe*, disait-il ; *je le suis de même*. Ma foi, Sire, nous ne le sommes ni l'un ni l'autre.

Ma chère enfant, je ne me croirai tel que quand je serai avec mes pénates et avec vous. L'embarras est de sortir d'ici. Vous savez ce que je vous ai mandé dans ma lettre du 1er novembre. Je ne peux demander de congé qu'en considération de ma santé. Il n'y a pas moyen de dire : « Je vais à Plombières au mois de décembre. »

Il y a ici une espèce de ministre du saint Évangile, nommé Pérard (1), né comme moi en France ; il demandait permission d'aller à Paris pour ses affaires ; le roi lui fit répondre qu'il connaissait mieux ses affaires que lui-même, et qu'il n'avait nul besoin d'aller à Paris.

Ma chère enfant, quand je considère un peu en détail tout ce qui se passe ici, je finis par conclure que cela n'est pas vrai, que cela est impossible, qu'on se trompe, que la chose est arrivée à Syracuse, il y a quelque trois mille ans. Ce qui est bien vrai, c'est que je vous aime de tout mon cœur, et que vous faites ma consolation.

A PROPOS DU DISCOURS SUR L'ORIGINE DE L'INÉGALITÉ

A M. JEAN-JACQUES ROUSSEAU A PARIS

30 août 1755.

J'ai reçu, monsieur, votre nouveau livre contre le genre humain, je vous en remercie. Vous plairez aux hommes, à qui vous dites leurs vérités, mais vous ne les corrigerez pas. On ne peut peindre avec des couleurs plus fortes les horreurs de la société humaine, dont notre ignorance et notre faiblesse se

(1) Jacques de Pérard, membre de l'Académie de Berlin.

promettent tant de consolations. On n'a jamais employé tant d'esprit à vouloir nous rendre bêtes ; il prend envie de marcher à quatre pattes, quand on lit votre ouvrage. Cependant, comme il y a plus de soixante ans que j'en ai perdu l'habitude, je sens malheureusement qu'il m'est impossible de la reprendre, et je laisse cette allure naturelle à ceux qui en sont plus dignes que vous et moi. Je ne peux non plus m'embarquer pour aller trouver les sauvages du Canada ; premièrement, parce que les maladies dont je suis accablé me retiennent auprès du plus grand médecin de l'Europe (1) et que je ne trouverais pas les mêmes secours chez les Missouris ; secondement, parce que la guerre est portée dans ces pays-là (2), et que les exemples de nos nations ont rendu les sauvages presque aussi méchants que nous. Je me borne à être un sauvage paisible dans la solitude que j'ai choisie auprès de votre patrie (3), où vous devriez être.

Je conviens avec vous que les belles-lettres et les sciences ont causé quelquefois beaucoup de mal. Les ennemis du Tasse firent de sa vie un tissu de malheurs ; ceux de Galilée le firent gémir dans les prisons, à soixante-dix ans, pour avoir connu le mouvement de la terre ; et, ce qu'il y a de plus honteux, c'est qu'ils l'obligèrent à se rétracter. Dès que vos amis eurent commencé le *Dictionnaire encyclopédique*, ceux qui osèrent être leurs rivaux les traitèrent de *déistes*, d'*athées*, et même de *jansénistes*.

Si j'osais me compter parmi ceux dont les travaux n'ont eu que la persécution pour récompense, je vous ferais voir des gens acharnés à me perdre du jour que je donnai la tragédie d'*Œdipe* ; une bibliothèque de calomnies ridicules imprimées contre moi ; un prêtre, ex-jésuite (4), que j'avais sauvé du dernier supplice me payant par des libelles diffamatoires du service que je lui avais rendu ; un homme (5), plus coupable encore, faisant imprimer mon propre ouvrage du *Siècle de Louis XIV* avec des notes dans lesquelles la plus

---

(1) Théodore Tronchin (1709-1781), médecin genevois, élève de Boerhaave, et qui fut l'un des propagateurs de la méthode de l'inoculation.

(2) La lutte entre le Canada français et les colonies anglaises.

(3) Voltaire se trouvait à sa maison des Délices, près de Genève.

(4) L'abbé Desfontaines. Voltaire avait fait agir en sa faveur à propos d'une affaire d'une nature délicate, qui aurait bien pu amener l'abbé aux galères, et l'en avait sauvé.

(5) La Beaumelle (1726-1773). Sa publication du *Siècle de Louis XIV* fut faite à Francfort en 1753. Il fut mis à la Bastille pour ce fait.

crasse ignorance vomit les plus infâmes impostures ; un autre qui vend à un libraire quelques chapitres d'une prétendue *Histoire naturelle* sous mon nom ; le libraire assez avide pour imprimer ce tissu informe de bévues, de fausses dates, de faits et de noms estropiés ; et enfin des hommes assez lâches et assez méchants pour m'imputer la publication de cette rapsodie (1). Je vous ferais voir la société infectée de ce genre d'hommes inconnu à toute l'antiquité, qui, ne pouvant embrasser une profession honnête, soit de manœuvre, soit de laquais, et sachant malheureusement lire et écrire, se font courtiers de littérature, vivent de nos ouvrages, volent des manuscrits, les défigurent et les vendent. Je pourrais me plaindre que des fragments d'une plaisanterie faite, il y a près de trente ans, sur le même sujet que Chapelain eut la bêtise de traiter sérieusement, courent aujourd'hui le monde par l'infidélité et l'avarice de ces malheureux qui ont mêlé leurs grossièretés à ce badinage, qui en ont rempli les vides avec autant de sottise que de malice, et qui enfin, au bout de trente ans, vendent partout en manuscrit ce qui n'appartient qu'à eux et qui n'est digne que d'eux. J'ajouterais qu'en dernier lieu on a volé une partie des matériaux que j'avais rassemblés dans les Archives publiques pour servir à l'*Histoire de la guerre de 1741*, lorsque j'étais historiographe de France (2) ; qu'on a vendu à un libraire de Paris ce fruit de mon travail ; qu'on se saisit à l'envi de mon bien comme si j'étais déjà mort, et qu'on le dénature pour le mettre à l'encan. Je vous peindrais l'ingratitude, l'imposture et la rapine, me poursuivant depuis quarante ans jusqu'au pied des Alpes, jusqu'au bord de mon tombeau. Mais que conclurai-je de toutes ces tribulations ? Que je ne dois pas me plaindre ; que Pope, Descartes, Bayle, le Camoens, et cent autres, ont essuyé les mêmes injustices, et de plus grandes ; que cette destinée est celle de presque tous ceux que l'amour des lettres a trop séduits.

Avouez en effet, monsieur, que ce sont là de petits malheurs particuliers dont à peine la société s'aperçoit·

(1) Ce libraire est Jean Néaulme, de La Haye, et l'*Abrégé de l'Histoire universelle* qu'il publia fut reconnu faux! en de nombreux endroits, lorsqu'il fut confronté avec le manuscrit de Voltaire.

(2) Voltaire avait été nommé à cette charge en 1745 ; il la perdit en 1750 lorsqu'il se rendit à la cour de Prusse. Cette *Histoire de la guerre de 1741* publiée frauduleusement en 1755, entra plus tard dans le *Précis du règne de Louis XV*, édité en 1768.

Qu'importe au genre humain que quelques frelons pillent le miel de quelques abeilles? Les gens de lettres font grand bruit de toutes ces petites querelles, le reste du monde les ignore ou en rit.

De toutes les amertumes répandues sur la vie humaine, ce sont là les moins funestes. Les épines attachées à la littérature et à un peu de réputation ne sont que des fleurs en comparaison des autres maux qui, de tout temps, ont inondé la terre. Avouez que ni Cicéron, ni Varron, ni Lucrèce, ni Virgile, ni Horace, n'eurent la moindre part aux proscriptions. Marius était un ignorant ; le barbare Sylla, le crapuleux Antoine, l'imbécile Lépide, lisaient peu Platon et Sophocle ; et pour ce tyran sans courage, Octave Cépias, surnommé si lâchement *Auguste*, il ne fut un détestable assassin que dans le temps où il fut privé de la société des gens de lettres.

Avouez que Pétrarque et Boccace ne firent pas naître les troubles de l'Italie ; avouez que le *badinage* de Marot n'a pas produit la Saint-Barthélemy, et que la tragédie du *Cid* ne causa pas les troubles de la Fronde. Les grands crimes n'ont guère été commis que par de célèbres ignorants. Ce qui fait et fera toujours de ce monde une vallée de larmes, c'est l'insatiable cupidité et l'indomptable orgueil des hommes, depuis Thamas-Kouli-Kan (1), qui ne savait pas lire, jusqu'à un commis de la douane qui ne sait que chiffrer. Les lettres nourrissent l'âme, la rectifient, la consolent ; elles vous servent, monsieur, dans le temps que vous écrivez contre elles ; vous êtes comme Achille qui s'emporte contre la gloire, et comme le Père Malebranche dont l'imagination brillante écrivait contre l'imagination.

Si quelqu'un doit se plaindre des lettres, c'est moi, puisque dans tous les temps et dans tous les lieux elles ont servi à me persécuter ; mais il faut les aimer malgré l'abus qu'on en a fait, comme il faut aimer la société dont tant d'hommes méchants corrompent les douceurs ; mais il faut aimer sa patrie, quelque injustice qu'on y essuie, comme il faut aimer et servir l'Être suprême, malgré les superstitions et le fanatisme qui déshonorent si souvent son culte.

M. Chappuis (2) m'apprend que votre santé est bien mau-

(1) Nadir-Chah, ou Thamasp-Kou-li-Kham (1688-1747), aventurier persan qui, de serviteur du roi Thamas ou Thamasp, devint roi lui-même. Il périt tué par ses propres généraux.
(2) Receveur des sels du Valais.

vaise ; il faudrait la venir rétablir dans l'air natal, jouir de la liberté, boire avec moi du lait de nos vaches, et brouter nos herbes.

Je suis très philosophiquement et avec la plus tendre estime, etc.

CONTRE L'OPTIMISME

A M. BERTRAND (1)

Morion, 28 février 1756.

J'avais, mon cher philosophe, un cruel redoublement de colique quand j'ai reçu votre lettre ; ma consolation est donc que je n'aurai pas la colique dans l'autre monde, vraiment je l'espère bien, et j'en dis un petit mot dans mon sermon ; la question ne roule pas sur cet objet d'espérance, elle tombe uniquement sur cet axiome, ou plutôt sur cette plaisanterie : *Tout est bien à présent, tout est comme il devait être, et le bonheur général présent résulte des maux présents de chaque être.* Or en vérité cela est aussi ridicule que ce beau mot de Possidonius, qui disait à la goutte : *Tu ne me feras pas avouer que tu es un mal.*

Les hommes de tous les temps et de toutes les religions ont si bien senti le malheur de la nature humaine qu'ils ont tous dit que l'œuvre de Dieu avait été altérée.

Égyptiens, Grecs, Perses, Romains, tous ont imaginé quelque chose d'approchant de la chute du premier homme. Il faut avouer que l'ouvrage de Pope détruit cette vérité et que mon petit discours y ramène, car, si *tout est bien*, si tout a été comme il devait être il n'y a donc point de nature déchue ; mais au contraire, s'il y a du mal dans le monde, le mal indique la corruption passée et la réparation à venir. Voilà la conséquence toute naturelle. Vous me direz que je ne tire pas cette conséquence, que je laisse le lecteur dans la tristesse et dans le doute. Eh bien, il n'y a qu'à ajouter le mot d'espérer à celui d'adorer, et mettre :

Mortels, il faut souffrir,
Se soumettre, adorer, espérer et mourir.

(1) Elie Bertrand, pasteur à Berne ; a séjourné aux Délices.

Mais le fond de l'ouvrage reste malheureusement d'une vérité incontestable. Le mal est sur la terre, et c'est se moquer de moi que de dire que mille infortunes composent le bonheur. Oui, il y a du mal, et peu d'hommes voudraient recommencer leur carrière, peut-être pas un sur cent mille, et quand on me dit que cela ne pouvait être autrement, on outrage la raison et mes douleurs. Un ouvrier qui a de mauvais matériaux et de mauvais instruments est bien reçu à dire : Je n'ai pu faire autrement ; mais mon pauvre Pope, mon pauvre bossu que j'ai connu, que j'ai aimé, qui t'a dit que Dieu ne pouvait te former sans bosse ? Tu te moques de l'histoire de la pomme ! Elle est encore (humainement parlant et faisant toujours abstraction du sacré), elle est plus raisonnable que l'optimisme de Leibnitz, elle rend raison pourquoi tu es bossu, malade et un peu malin.

On a besoin d'un Dieu, qui parle au genre humain. L'optimisme est désespérant, c'est une philosophie cruelle sous un nom consolant. Hélas ! si tout est bien quand tout est dans la souffrance, nous pouvons donc encore passer dans mille mondes, où l'on souffrira, et où tout sera bien ; on ira de malheurs en malheurs pour être mieux et, si *tout est bien*, comment les Leibnitziens admettent-ils un mieux ? Ce mieux n'est-il pas une preuve que tout n'est pas bien ? Eh ! qui ne sait que Leibnitz n'attendait pas ce mieux ? Entre nous, mon cher monsieur, et Leibnitz et Shaftesbury, et Bolingbroke et Pope, n'ont songé qu'à avoir de l'esprit. Pour moi, je souffre et je le dis ; et je vous dis avec la même vérité que j'ai grande envie d'aller à Berne vous remercier de vos bontés et de celles de M. de Freudenreich. Vous savez toutes les nouvelles : tout est bien en France, Mme de Pompadour est dévote et a pris un jésuite pour confesseur.

SUR SA VIE A LA CAMPAGNE

A M. DE MONCRIF (1)

A Monrion (2), 27 mars 1757.

Mon cher confrère, j'ai été enchanté de votre souvenir, et affligé de la bienséance qui empêche le maître du château (3) d'écrire un petit mot ; mais je conçois qu'il aura été excédé de la multitude des lettres inutiles et embarrassantes auxquelles on n'a que des choses vagues à répondre. Il est toujours bon qu'il sache qu'il y a deux espèces de Suisses qui l'aiment de tout leur cœur. Tavernier (4), qui avait acheté la terre d'Aubonne, à quelques lieues de mon ermitage, interrogé par Louis XIV pourquoi il avait choisi une terre en Suisse, répondit, comme vous savez : *Sire, j'ai été bien aise d'avoir quelque chose qui ne fût qu'à moi.* Je n'ai pas tant voyagé que Tavernier, mais je finis comme lui.

Vous avez donc soixante-neuf ans, mon cher confrère : qui est-ce qui ne les a pas à peu près ? Voici le temps d'être à soi, et d'achever tranquillement sa carrière. C'est une belle chose que la tranquillité ! Oui, mais l'ennui est de sa connaissance et de sa famille. Pour chasser ce vilain parent, j'ai établi un théâtre à Lausanne, où nous jouons *Zaïre, Alzire, l'Enfant prodigue,* et même des pièces nouvelles. N'allez pas croire que ce soient des pièces et des acteurs suisses : j'ai fait pleurer, moi bonhomme Lusignan, un parterre très bien choisi ; et je souhaite que les Clairon et les Gaussin (5) jouent comme Mme Denis. Il n'y a dans Lausanne que des familles françaises, des mœurs françaises, du goût français, beaucoup de noblesse, de très bonnes maisons dans une très vilaine ville. Nous n'avons de suisse que la cordialité ; c'est l'âge d'or avec les agréments du siècle de fer.

(1) Paradis de Moncrif (1687-1777), membre de l'Académie française, homme aimable, poète médiocre, auteur de l'*Histoire des chats.*
(2) Propriété près de Lausanne.
(3) Le comte d'Argenson, alors en Touraine. Moncrif était auprès de lui.
(4) Jean-Baptiste Tavernier (1605-1686), célèbre voyageur français. Il parcourut la Turquie, les Indes, la Perse, dans toutes les directions.
(5) Mlle Gaussin était une tragédienne, comme Mlle Clairon.

Je suis histrion les hivers à Lausanne, et je réussis dans les rôles de vieillard : je suis jardinier au printemps, à mes Délices, près de Genève, dans un climat plus méridional que le vôtre. Je vois de mon lit le lac, le Rhône, et une autre rivière (1). Avez-vous, mon cher confrère, un plus bel aspect ? avez-vous des tulipes au mois de mars ? Avec cela, on barbouille de la philosophie et de l'histoire ; on se moque des sottises du genre humain et de la charlatanerie de vos physiciens qui croient avoir mesuré la terre, et de ceux qui passent pour des hommes profonds, parce qu'ils ont dit qu'on fait des anguilles avec de la pâte aigre (2).

On plaint ce pauvre genre humain qui s'égorge dans notre continent à propos de quelques arpents de terre au Canada. On est libre comme l'air depuis le matin jusqu'au soir. Mes vergers, et mes vignes, et moi, nous ne devons rien à personne. C'est encore là ce que je voulais, mais je voudrais aussi être moins éloigné de vous ; c'est dommage que le pays de Vaud ne touche pas à la Touraine.

Je vous embrasse tendrement.

Le Suisse VOLTAIRE.

REMERCIEMENTS

A MADAME D'ÉPINAY

Lausanne, 26 février 1758.

Vous, la goutte, madame ! Je n'en crois rien ; cela ne vous appartient pas. C'est le lot d'un gros prélat, d'un vieux débauché et point du tout d'une philosophe dont le corps ne pèse pas quatre-vingts livres, poids de Paris. Pour de petits rhumatismes, de petites fluxions, de petits trémoussements de nerfs, passe ; mais si j'étais comme vous, madame, auprès de M. Tronchin, je me moquerais de mes nerfs. C'est un bonheur dont je ne jouirai qu'après le retour du printemps, car je ne crois pas que le secrétaire et le chef des orthodoxes veuille jamais venir voir nos divertissements profanes et

(1) L'Arve, qui se jette dans le Rhône.
(2) Allusion aux observations du physicien anglais Needham (1713-1781), à la suite desquelles ce savant avait émis une théorie de la génération spontanée.

suisses. Cependant, madame, j'espère qu'il vous accompagnera quand nous serons un peu en train, qu'il y aura moins de neige le long du lac, et que vos nerfs vous permettront d'honorer notre ermitage suisse de votre présence. Il fera pour vous, madame, ce qu'il ne ferait pas pour un vieux papiste comme moi ; et il sera reçu comme s'il ne venait que pour nous.

Je vous remercie, madame, de vos gros gobets ; j'en aurai le soin qu'on doit avoir de ce qui vient de vous.

Permettez que je remercie ici M. Linant (1) ; il n'a pas besoin de son nom pour avoir droit à mon estime et à mon amitié ; et j'ai connu son mérite avant de savoir qu'il portait le nom d'un de mes anciens amis. Je conviens avec lui que tout nous vient du Levant, et j'accepte avec grand plaisir la proposition qu'il veut bien me faire pour une douzaine de pruniers originaires de Damas, et autant de cerisiers de Cérasonte. Ils s'accommoderont mal de mon terrain de terre à pot, maudit de Dieu ; mais j'y mettrai tant de gravier et de pierraille que j'en ferai un petit Montmorency. Je présente mes respects à l'élève de M. Linant à M. de Nicolaï, qui fait ses caravanes de Malte près du lac de Genève. Enfin je présente ma jalousie à tous ceux qui font leur cour à Mme d'Epinai.

A PROPOS DE SA TRAGÉDIE
DE TANCRÈDE

A MADEMOISELLE CLAIRON

16 octobre 1760.

Belle Melpomène, ma main ne répondra pas à la lettre dont vous m'honorez, parce qu'elle est un peu impotente ; mais mon cœur, qui ne l'est pas, y répondra.

Raisonnons ensemble, raisonnons.

Les monologues, qui ne sont pas des combats de passions, ne peuvent jamais remuer l'âme et la transporter. Un mono-

---

(1) Le précepteur du fils de Mme d'Épinay. Il n'a de commun que le nom avec l'ami dont parle Voltaire.

logue, qui ne peut être que la continuation des mêmes idées et des mêmes sentiments, n'est qu'une pièce nécessaire à l'édifice ; et tout ce qu'on lui demande, c'est de ne pas refroidir. Le mieux, sans contredit, dans votre monologue du second acte, est qu'il soit court, mais pas trop court. On peut faire venir Fanie (1), et finir par une situation attendrissante. Je tâcherai d'ailleurs de fortifier ce petit morceau, ainsi que bien d'autres. On a été forcé de donner *Tancrède* avant que j'y eusse pu mettre la dernière main. Cette pièce ne m'a jamais coûté un mois. Vos talents ont sauvé mes défauts ; il est temps de me rendre moins indigne de vous.

Je ne suis point du tout de votre avis, ma belle Melpomène, sur le petit ornement de la grève que vous me proposez (2). Gardez-vous, je vous en conjure, de rendre la scène française dégoûtante et horrible, et contentez-vous du terrible. N'imitons pas ce qui rend les Anglais odieux. Jamais les Grecs, qui entendaient si bien l'appareil du spectacle, ne se sont avisés de cette invention de barbares. Qu'il mérite a-t-il, s'il vous plaît, à faire construire un échafaud par un menuisier ? en quoi cet échafaud se lie-t-il à l'intrigue ? Il est beau, il est noble de suspendre des armes et des devises. Il en résulte qu'Orbassan, voyant le bouclier de Tancrède sans armoiries, et sa cotte d'armes sans faveurs des belles, croit avoir bon marché de son adversaire ; on jette le gage de bataille, on le relève ; tout cela forme une action qui sert au nœud essentiel de la pièce. Mais faire paraître un échafaud, pour le seul plaisir d'y faire paraître quelques valets de bourreau, c'est déshonorer le seul art par lequel les Français se distinguent, c'est immoler la décence à la barbarie ; croyez-en Boileau, qui dit :

> Mais il est des objets que l'art judicieux
> Doit offrir à l'oreille, et reculer des yeux.
> *L'Art poét.*, ch. III, v. 53.

Ce grand homme en savait plus que les beaux esprits de nos jours.

J'ai crié, trente ou quarante ans, qu'on nous donnât du spectacle dans nos conversations en vers appelées tragédies ; mais je crierais bien davantage si l'on changeait la scène en

---

(1) Confidente d'Amenaïde.
(2) Mlle Clairon avait demandé qu'on dressât un échafaud sur la scène au troisième acte.

place de Grève. Je vous conjure de rejeter cette abominable tentation.

J'enverrai dans quelque temps *Tancrède* quand j'aurai pu y travailler à loisir ; car figurez-vous que dans ma retraite, c'est le loisir qui me manque. *Fanime* (1) suivra de près ; nous venons de l'essayer en présence de M. le duc de Villars, de l'intendant de Bourgogne et de celui de Languedoc. Il y avait une assemblée très choisie. Votre rôle est plus décent et, par conséquent, plus attendrissant qu'il n'était ; vous y mourez d'une manière qu'on ne peut prévoir, et qui a fait un effet terrible, à ce qu'on dit. La pièce est prête. Je vais bientôt donner tous mes soins à *Tancrède*. Quand vous aurez donné la vie à ces deux pièces, je vous supplierai d'être malade, et de venir vous mettre entre les mains de Tronchin (2), afin que nous puissions être tous à vos pieds.

REMERCIEMENTS DE L'ENVOI
D'UN LIVRE

A M. ABEILLE (3)

Aux Délices, par Genève, 7 février 1762.

Vous ne devez douter, monsieur, ni du plaisir que vous m'avez fait, ni de ma reconnaissance. Je suis le moindre des agriculteurs, et dans un pays qui peut se vanter d'être le plus mauvais de France, quoi qu'il soit des plus jolis ; mais quiconque fait croître deux brins d'herbe où il n'en venait qu'un rend du moins un petit service à sa patrie. J'ai trouvé de la misère et des ronces sur de la terre à pot. J'ai dit aux possesseurs des ronces : « Voulez-vous me permettre de vous défricher ? » Ils me l'ont permis en se moquant de moi. J'ai défriché, j'ai brûlé, j'ai fait porter de la terre légère ;

(1) Cette pièce avait d'abord été intulée *Zulime* et représentée sans succès en 1740.
(2) Voy. p. 69 n° 1.
(3) Louis-Paul Abeille (1719-1807), membre de la Société d'agriculture de Paris. Il avait envoyé à Voltaire son ouvrage récemment paru : *Corps d'observations de la société d'agriculture, de commerce et des arts établie par les états de Bretagne*.

on a cessé de me siffler et on me remercie. On peut toujours faire un peu de bien partout où l'on est. Le livre que vous m'avez fait l'honneur de m'envoyer, monsieur, en doit faire beaucoup. Je le lis avec attention. Corneille ne m'a point fait oublier Triptolème.

Agréez mes sincères remerciements, et tous les sentiments avec lesquels j'ai l'honneur d'être, monsieur, votre très humble et très obéissant serviteur.

L'AFFAIRE CALAS (1)

A M. LE MARQUIS D'ARGENTAL

A Ferney, 27 mars 1762.

Vous me demanderez peut-être, mes divins anges, pourquoi je m'intéresse si fort à ce Calas, qu'on a roué ; c'est que je suis homme, c'est que je vois tous les étrangers indignés, c'est que tous vos officiers suisses protestants disent qu'ils ne combattront pas de grand cœur pour une nation qui fait rouer leurs frères sans aucune preuve.

Je me suis trompé sur le nombre des juges, dans ma lettre à M. de la Marche (2). Ils étaient treize, cinq ont constamment déclaré Calas innocent. S'il avait eu une voix de plus en sa faveur, il était absous. A quoi tient donc la vie des hommes ? à quoi tiennent les plus horribles supplices ? Quoi ! parce qu'il ne s'est pas trouvé un sixième juge raisonnable, on aura fait rouer un père de famille ! on l'aura accusé d'avoir pendu son propre fils, tandis que ses quatre autres enfants crient qu'il était le meilleur des pères ! Le témoignage de la conscience de cet infortuné ne prévaut-il sur l'illusion de huit juges, animés par une confrérie de pénitents blancs qui a soulevé les esprits de Toulouse contre un calviniste? Ce pauvre homme criait sur la roue qu'il était innocent ; il pardonnait à ses juges, il pleurait son fils auquel on prétendait qu'il avait donné la mort. Un dominicain, qui l'assistait

---

(1) On connaît l'affaire Calas ; on sait le grand retentissement qu'elle eut, et quel rôle y joua Voltaire ; une longue note sur ce sujet serait donc superflue.

(2) M. de la Marche avait été premier président de la cour de Dijon.

d'office sur l'échafaud, dit qu'il voudrait mourir aussi saintement qu'il est mort. Il ne m'appartient pas de condamner le parlement de Toulouse ; mais enfin il n'y a eu aucun témoin oculaire ; le fanatisme du peuple a pu passer jusqu'à des juges prévenus. Plusieurs d'entre eux étaient pénitents blancs ; ils peuvent s'être trompés. N'est-il pas de la justice du roi et de sa prudence de se faire au moins représenter les motifs de l'arrêt ? Cette seule démarche consolerait tous les protestants de l'Europe, et apaiserait leurs clameurs. Avons-nous besoin de nous rendre odieux ? ne pourriez-vous pas engager M. le comte de Choiseul à s'informer de cette horrible aventure qui déshonore la nature humaine, soit que Calas soit coupable, soit qu'il soit innocent ? Il y a certainement, d'un côté ou d'un autre, un fanatisme horrible ; et il est utile d'approfondir la vérité. Mille tendres respects à mes anges.

INTERVENTION EN FAVEUR
DE LA VEUVE DE CALAS

A M. L'ABBÉ DE VOISENON DE L'ACADÉMIE FRANÇAISE

Aux Délices, 19 mars 1763.

En qualité de Quinze-Vingt (1), je vous prie à tâtons, mon cher confrère, de me rendre un très grand service. Vous m'avez fait un si bel éloge de Mme la duchesse de Grammont, vous me l'avez peinte d'un esprit si solide et d'un cœur si généreux, que votre enthousiasme m'a enhardi à lui demander encore une nouvelle grâce après toutes celles qu'elle a daigné m'accorder. J'abuse extrêmement, il est vrai, de ses bontés ; mais il faut qu'elle m'accorde ce que je lui demande. C'est de se joindre à Mme de Pompadour, ou plutôt de joindre Mme de Pompadour à elle pour obtenir du roi une aumône en faveur de la pauvre veuve Calas. Je dis une aumône sur sa cassette ; la plus légère, la plus mince nous suffira, et, s'il n'a point d'argent, il faut qu'on lui en prête pour faire cette bonne œuvre. J'ai dans l'idée que l'Europe

(1) Voltaire se plaignait de n'y pas voir pendant les mois d'hiver. Voy. sa lettre à Mme du Deffand, p. 82.

battrait des mains, que protestants et catholiques applau-
diraient, que tous les cœurs seraient touchés, que cette seule
marque de bonté de la part de Sa Majesté ouvrirait les yeux
à je ne sais combien de sots huguenots qui croient toujours
qu'on veut les manger sur le gril, comme saint Laurent.

Je m'adresse à vous, mon cher petit évêque (1), avec la
plus grande confiance et je recommande cette petite négocia-
tion à votre humanité, à l'amitié dont vous m'honorez depuis
si longtemps, et à votre discrétion. Volez chez Mme de
Grammont, quand vous seriez asthmatique. Dites-lui que je
vous ai fait confidence de l'extrême liberté que j'ai osé
prendre avec elle ; que j'en suis bien honteux, que je lui en
demande bien pardon ; mais faites réussir mon affaire, ayez-
en la gloire ; je le dirai à tous les huguenots. N'aurez-vous
pas d'ailleurs bien du plaisir à donner cet énorme soufflet
aux huit juges de Toulouse qui ont fait rouer, pour s'amuser,
le père de famille le plus vertueux et le plus tendre qui fût
dans ce pays des Visigoths ? D'ailleurs, il y a une des filles,
assez jolie, qui s'est évanouie deux fois à Versailles : il faut
que le roi lui donne de quoi acheter de beau point de la
reine de Hongrie. Faites mon affaire, mon charmant confrère,
Dieu vous bénira et moi je vous adorerai.

VOLTAIRE.

On dira peut-être qu'il faut attendre que le procès soit fini,
non, il ne faut point attendre ; quand même Calas aurait
pendu son fils, il faudrait encore soulager la veuve ; vingt
personnes l'ont fait ; pourquoi le roi ne le ferait-il pas ? en un
mot, réussissez.

Donnez votre bénédiction à Voltaire.

---

(1) « Voltaire appelait Voisenon *l'évêque de Montrouge*, parce que l'auteur
du sultan *Misapouf* était l'un des hôtes les plus assidus du château du duc
de la Vallière à Montrouge. » (G. Bengesco.)

6

CAUSERIE SUR LA CECITÉ

A MADAME LA MARQUISE DU DEFFAND

Aux Délices, 27 janvier 1764 (1).

Oui, je perds les deux yeux : vous les avez perdus,
O sage du Deffand ! est-ce une grande perte ?
    Du moins nous ne reverrons plus
    Les sots dont la terre est couverte.
Et puis tout est aveugle en cet humain séjour ;
On ne va qu'à tâtons sur la machine ronde.
On a les yeux bouchés à la ville, à la cour :
    Plutus, la Fortune et l'Amour
Sont trois aveugles-nés qui gouvernent le monde.
Si d'un de nos cinq sens nous sommes dégarnis,
Nous en possédons quatre ; et c'est un avantage
    Que la nature laisse à peu de ses amis,
    Lorsqu'ils parviennent à notre âge.
Nous avons vu mourir les papes et les rois :
Nous vivons, nous pensons, et notre âme nous reste.
Epicure et les siens prétendaient autrefois
    Que ce sixième sens était un don céleste
    Qui les valait tous à la fois.
Mais quand notre âme aurait des lumières parfaites,
    Peut-être il serait encor mieux
    Que nous eussions gardé nos yeux,
    Dussions-nous porter des lunettes.

Vous voyez, madame, que je suis un confrère assez occupé des affaires de notre petite république des Quinze-Vingts. Vous m'assurez que les gens ne sont plus si aimables qu'autrefois ; cependant les perdrix et les gélinottes ont tout autant de fumet aujourd'hui qu'elles en avaient dans votre jeunesse ; les fleurs ont les mêmes couleurs. Il n'en est pas ainsi des hommes : le fond en est toujours le même, mais les talents ne sont pas de tous les temps ; et le talent d'être aimable, qui a toujours été assez rare, dégénère comme un autre. Ce n'est pas vous qui avez changé, c'est la cour et la ville, à ce que

---

(1) Le 14 janvier, Mme du Deffand écrivait à Voltaire : « Chargez-vous de mon amusement ; je ne veux plus rien lire de tout ce qu'on écrit. » Il fit cette réponse mi-partie prose et vers.

j'entends dire aux connaisseurs. Cela vient peut-être de ce qu'on ne lit pas assez les *Moyens de plaire* de Moncrif. On n'est occupé que des énormes sottises qu'on fait de tous côtés.

Le raisonner tristement s'accrédite. Comment voulez-vous que la société soit agréable avec tout ce fatras pédantesque?

PESSIMISME

A MADAME LA MARQUISE DU DEFFAND

24 mai 1764.

Vous me faites une peine extrême, madame; car vos tristes idées ne sont pas seulement du raisonner, c'est de la sensation. Je conviens avec vous que le néant est, généralement parlant, préférable à la vie. Le néant a du bon; consolons-nous, d'habiles gens prétendent que nous en tâterons. Il est bien clair, disent-ils d'après Sénèque et Lucrèce, que nous serons après notre mort, ce que nous étions avant de naître; mais, pour les deux ou trois minutes de notre existence, qu'en ferons-nous? Nous sommes, à ce qu'on prétend, de petites roues de la grande machine, de petits animaux à deux pieds et à deux mains comme les singes, moins agiles qu'eux, aussi comiques, et ayant une mesure d'idées plus grande. Nous sommes emportés dans le mouvement général imprimé par le maître de la nature. Nous ne nous donnons rien, nous recevons tout; nous ne sommes pas plus les maîtres de nos idées que de la circulation du sang dans nos veines. Chaque être, chaque manière d'être tient essentiellement à la loi universelle. Il est ridicule, dit-on, et impossible que l'homme se puisse donner quelque chose, quand la foule des astres ne se donne rien. C'est bien à nous d'être maîtres absolus de nos actions et de nos volontés, quand l'univers est esclave!

Voilà une bonne chienne de condition, direz-vous. Je souffre, je me débats contre une existence que je maudis et que j'aime; je hais la vie et la mort. Qui me consolera? qui me soutiendra? La nature entière est impuissante à me soulager.

Voici peut-être, madame, ce que j'imaginerais pour remède.

Il n'a dépendu ni de vous, ni de moi, de perdre les yeux, d'être privé de nos amis, d'être dans la situation où nous sommes. Toutes nos privations, tous nos sentiments, toutes nos idées sont des choses absolument nécessaires. Vous ne pouviez vous empêcher de m'écrire les très philosophiques et très tristes lettres que j'ai reçues de vous ; et moi je vous écris nécessairement que le courage, la résignation aux lois de la nature, le profond mépris pour toutes les superstitions, le plaisir noble de se sentir d'une autre nature que les sots, l'exercice de la faculté de penser, sont des consolations véritables. Cette idée, que j'étais destiné à vous représenter, rappelle nécessairement dans vous votre philosophie. Je deviens un instrument qui en affermit un autre, par lequel je serai affermi à mon tour. Heureuses les machines qui peuvent s'aider mutuellement.

Votre machine est une des meilleures de ce monde. N'est-il pas vrai que, s'il vous fallait choisir entre la lumière et la pensée, vous ne balanceriez pas, et que vous préféreriez les yeux de l'âme à ceux du corps ? J'ai toujours désiré que vous dictassiez la manière dont vous voyez les choses, et que vous m'en fissiez part, car vous voyez très bien et vous peignez de même.

J'écris rarement, parce que je suis agriculteur. Vous ne vous doutez pas de ce métier-là, c'est pourtant celui de nos premiers pères. J'ai toujours été accablé d'occupations assez frivoles qui engloutissaient tous mes moments ; mais les plus agréables sont ceux où je reçois de vos nouvelles, et où je peux vous dire combien votre âme plaît à la mienne et à quel point je vous regrette. Ma santé devient tous les jours plus mauvaise. Tout le monde n'est pas comme Fontenelle. Allons, madame, courage, traînons notre lien jusqu'au bout.

Soyez bien persuadée du véritable intérêt que mon cœur prend à vous et de mon très tendre respect.

SUR LA CORRUPTION DE LA LANGUE
ET SUR LA VERSIFICATION

A M. L'ABBÉ D'OLIVET (1)

A Ferney, 5 janvier 1767.

> Cher doyen de l'Académie,
> Vous vîtes de plus heureux temps ;
> Des neuf Sœurs la troupe endormie
> Laisse reposer les talents ;
> Notre gloire est un peu flétrie.
> Ramenez-nous, sur vos vieux ans,
> Et le bon goût et le bon sens
> Qu'eut jadis ma chère patrie.

Dites-moi si jamais vous vîtes, dans aucun bon auteur de ce grand siècle de Louis XIV, le mot de *vis-à-vis* employé une seule fois pour signifier *envers*, *avec*, *à l'égard* (2). Y en a-t-il un seul qui ait dit *ingrat vis-à-vis de moi*, au lieu d'*ingrat envers moi* ; *il se ménageait vis-à-vis ses rivaux*, au lieu de dire avec ses rivaux ; *il était fier vis-à-vis de ses supérieurs*, pour fier avec ses supérieurs, etc. ? Enfin ce mot de *vis-à-vis*, qui est très rarement juste et jamais noble, inonde aujourd'hui nos livres, et la cour, et le barreau, et la société ; car dès qu'une expression vicieuse s'introduit, la foule s'en empare.

Dites-moi si Racine a *persiflé* Boileau, si Bossuet a *persiflé* Pascal, et si l'un et l'autre ont *mystifié* La Fontaine, en abusant quelquefois de sa simplicité ? Avez-vous jamais dit que Cicéron écrivait *au parfait* (3) ; que la *coupe* des tragédies de Racine était heureuse ? On va jusqu'à imprimer que les

---

(1) Joseph Thoulier, abbé d'Olivet (1682-1768), grammairien et traducteur ; Voltaire avait été son élève au collège Louis-le-Grand, et fut reçu par lui à l'Académie française.

(2) Voltaire a plusieurs fois exprimé cette critique, et, par exemple, dans sa *Lettre aux Parisiens* publiée la veille de la première représentation de *l'Écossaise*, comédie dans laquelle il attaquait Fréron. Fréron avait écrit : « Défaut essentiel *vis-à-vis* des trois quarts des gens du monde » (*Opuscules*, t. II, p. 78).

(3) Pour « parfaitement ».

princes sont quelquefois mal *éduqués*. Il paraît que ceux qui parlent ainsi ont reçu eux-mêmes une fort mauvaise éducation. Quand Bossuet, Fénelon, Pellisson voulaient exprimer qu'on suivait ses anciennes idées, ses projets, ses engagements, qu'on travaillait sur un plan proposé, qu'on remplissait ses promesses, qu'on reprenait une affaire, etc., ils ne disaient point : J'ai suivi mes *errements* ; j'ai travaillé sur mes *errements*.

Errement a été substitué par les procureurs au mot *erres*, que le peuple emploie au lieu d'*arrhes* ; *arrhes* signifie *gage*, Vous trouvez ce mot dans la tragi-comédie de Pierre Corneille, intitulée *Don Sanche d'Aragon* (acte V, sc. VI) :

> Ce présent donc renferme un tissu de cheveux
> Que reçut don Fernand pour arrhes de mes vœux.

Le peuple de Paris a changé *arrhes* en *erres* : des *erres* au coche : donnez-moi des *erres*. De là, *errements* ; et aujourd'hui je vois que, dans les discours les plus graves, le roi a suivi ses derniers *errements vis-à-vis* des rentiers.

Le style barbare des anciennes formules commence à se glisser dans les papiers publics. On imprime que Sa Majesté *aurait* reconnu qu'une telle province *aurait* été endommagée par des inondations.

En un mot, monsieur, la langue paraît s'altérer tous les jours ; mais le style se corrompt bien davantage : on prodigue les images et les tours de la poésie en physique ; on parle d'anatomie en style ampoulé ; on se pique d'employer des expressions qui étonnent parce qu'elles ne conviennent point aux pensées.

C'est un grand malheur, il faut l'avouer, que, dans un livre (1) rempli d'idées profondes, ingénieuses et neuves, on ait traité du fondement des lois en épigrammes. La gravité d'une étude si importante devait avertir l'auteur de respecter davantage son sujet, et combien a-t-il fait de mauvais imitateurs qui, n'ayant pas son génie, n'ont pu copier que ses défauts !

Boileau, il est vrai, a dit après Horace :

> Heureux qui dans ses vers sait, d'une voix légère,
> Passer du grave au doux, du plaisant au sévère (2) !

(1) *L'Esprit des lois.*
(2) *Art poétique*, chant I, vers 75-76.

Mais il n'a pas prétendu qu'on mélangeât tous les styles. Il ne voulait pas qu'on mît le masque de Thalie sur le visage de Melpomène, ni qu'on prodiguât les grands mots dans les affaires les plus minces. Il faut toujours conformer son style à son sujet.

Il m'est tombé entre les mains l'annonce imprimée d'un marchand de ce qu'on peut envoyer de Paris en province pour servir sur table. Il commence par un éloge magnifique de l'agriculture et du commerce, il pèse dans ses balances d'épicier le mérite du duc de Sully et du grand ministre Colbert, et ne pensez pas qu'il s'abaisse à citer le nom du duc de Sully, il l'appelle l'*ami d'Henri IV* : et il s'agit de vendre des saucissons et des harengs frais ! Cela prouve au moins que le goût des belles-lettres a pénétré dans tous les états ; il ne s'agit plus que d'en faire un usage raisonnable : mais on veut toujours mieux dire qu'on ne doit dire, et tout sort de sa sphère.

Des hommes même de beaucoup d'esprit ont fait des livres ridicules, pour vouloir avoir trop d'esprit. Le jésuite Castel (1), par exemple, dans sa *Mathématique universelle*, veut prouver que si le globe de Saturne était emporté par une comète dans un autre système solaire, ce serait le dernier de ses satellites que la loi de la gravitation mettrait à la place de Saturne. Il ajoute à cette bizarre idée que la raison pour laquelle le satellite le plus éloigné prendrait cette place, c'est que les souverains éloignent d'eux, autant qu'ils le peuvent, leurs héritiers présomptifs.

Cette idée serait plaisante et convenable dans la bouche d'une femme qui, pour faire taire des philosophes, imaginerait une raison comique d'une chose dont ils chercheraient la cause en vain ; mais que le mathématicien fasse le plaisant quand il doit instruire, cela n'est pas tolérable.

Le déplacé, le faux, le gigantesque semblent vouloir dominer aujourd'hui ; c'est à qui renchérira sur le siècle passé. On appelle de tous côtés les passants pour leur faire admirer les tours de force qu'on substitue à la démarche simple, noble, aisée, décente des Pellisson, des Fénelon, des Bossuet, des Massillon. Un charlatan est parvenu jusqu'à

(1) Louis-Bertrand Castel (1688-1757), jésuite, mathématicien remarquable ; il était quelque peu bizarre et avait imaginé un clavier oculaire, composé d'une série de couleurs, qui allaient du blanc au noir, et divisée en autant de demi-tons qu'il y en a sur le clavier du clavecin.

dire dans je ne sais quelles lettres, en parlant de l'angoisse et de la passion de Jésus-Christ, que si Socrate mourut en sage, Jésus-Chrit *mourut en dieu* : comme s'il y avait des dieux accoutumés à la mort ; comme si on savait comment ils meurent ; comme si une sueur de sang était le caractère de la mort de Dieu ; enfin comme si c'était Dieu qui fût mort.

On descend d'un style violent et effréné au familier le plus bas et le plus dégoûtant ; on dit de la musique du célèbre Rameau, l'honneur de notre siècle, qu'elle *ressemble à la course d'une oie grasse et au galop d'une vache*. On s'exprime enfin aussi ridiculement que l'on pense, *rem verba sequuntur* (1) ; et, à la honte de l'esprit humain, ces impertinences ont eu des partisans.

Je vous citerais cent exemples de ces extravagants abus, si je n'aimais pas mieux me livrer au plaisir de vous remercier des services continuels que vous rendez à notre langue, tandis qu'on cherche à la déshonorer. Tous ceux qui parlent en public doivent étudier votre *Traité de la prosodie* ; c'est un livre classique qui durera autant que la langue française.

Avant d'entrer avec vous dans des détails sur votre nouvelle édition, je dois vous dire que j'ai été frappé de la circonspection avec laquelle vous parlez du célèbre, j'ose presque dire de l'inimitable Quinault, le plus concis peut-être de nos poètes dans les belles scènes de ses opéras, et l'un de ceux qui s'exprimèrent avec le plus de pureté, comme avec le plus de grâce. Vous n'assurez point, comme tant d'autres, que Quinault ne savait pas sa langue. Nous avons souvent entendu dire, Mme Denis et moi, à M. de Beaufront son neveu, que Quinault savait assez de latin pour ne lire jamais Ovide que dans l'original, et qu'il possédait encore mieux l'italien. Ce fut un Ovide à la main qu'il composa ces vers harmonieux et sublimes de la première scène de *Proserpine* (acte I, scène 1) :

> Les superbes géants armés contre les dieux
> Ne nous donnent plus d'épouvante ;
> Ils sont ensevelis sous la masse pesante
> Des monts qu'ils entassaient pour attaquer les cieux.
> Nous avons vu tomber leur chef audacieux
> Sous une montagne brûlante.
> Jupiter l'a contraigt de vomir à nos yeux
> Les restes enflammés de sa rage expirante.
> Jupiter est victorieux
> Et tout cède à l'effort de sa main foudroyante.

(1) Les mots suivent l'idée (Horace, *Art poétique*, vers 311).

S'il n'avait pas été rempli de la lecture du Tasse, il n'aurait pas fait son admirable opéra d'*Armide*. Une mauvaise traduction ne l'aurait pas inspiré.

Tout ce qui n'est pas, dans cette pièce, air détaché, composé sur les canevas du musicien, doit être regardé comme une tragédie excellente. Ce ne sont pas là de

> ... ces lieux communs de morale lubrique,
> Que Lulli réchauffa des sons de sa musique (1).

On commence à savoir que Quinault valait mieux que Lulli. Un jeune homme (2) d'un rare mérite, déjà célèbre par le prix qu'il a remporté à notre Académie, et par une tragédie qui a mérité son grand succès, a osé s'exprimer ainsi en parlant de Quinault et de Lulli :

> Aux dépens du poète on n'entend plus vanter
> De ces airs languissants la triste psalmodie,
> Que réchauffa Quinault du feu de son génie.

Je ne suis pas entièrement de son avis. Le récitatif de Lulli me paraît très bon, mais les scènes de Quinault encore meilleures.

Je viens à une autre anecdote. Vous dites que « les étrangers ont peine à distinguer quand la consonne finale a besoin ou non d'être accompagnée d'un *e* muet », et vous citez les vers du philosophe de Sans-Souci (3) :

> La nuit, compagne du repos,
> De son *crep* couvrant la lumière,
> Avait jeté sur ma paupière
> Les plus léthargiques pavots.

Il est vrai que, dans les commencements, nos *e* muets embarrassent quelquefois les étrangers ; le philosophe de Sans-Souci était très jeune quand il fit cette épître : elle a été imprimée à son insu par ceux qui recherchent toutes les pièces manuscrites, et qui, dans leur empressement de les imprimer, les donnent souvent au public toutes défigurées.

Je peux vous assurer que le philosophe de Sans-Souci sait parfaitement notre langue. Un de nos plus illustres confrères

---

(1) Boileau, *Satire X*, vers 141-142.
(2) La Harpe, qui venait de remporter le prix d'éloquence à l'Académie française, et de faire représenter avec succès sa tragédie de *Warwick*.
(3) Frédéric II.

et moi nous avons l'honneur de recevoir quelquefois de ses lettres, écrites avec autant de pureté que de génie et de force, *eodem animo scribit quo pugnat* : et je vous dirai, en passant, que l'honneur d'être encore dans ses bonnes grâces, et le plaisir de lire les pensées les plus profondes, exprimées d'un style énergique, font une des consolations de ma vieillesse. Je suis étonné qu'un souverain, chargé de tout le détail d'un grand royaume, écrive couramment et sans effort ce qui coûterait à un autre beaucoup de temps et de ratures.

M. l'abbé de Dangeau (1), en qualité de puriste, en savait sans doute plus que lui sur la grammaire française. Je ne puis toutefois convenir avec ce respectable académicien qu'un musicien, en chantant *la nuit est loin encore* prononce, pour avoir plus de grâces, la nuit est *loing* encore. Le philosophe de Sans-Souci, qui est aussi grand musicien qu'écrivain supérieur, sera, je crois, de mon opinion.

Je suis bien aise qu'autrefois Saint-Gelais ait justifié le *crép* par son *Bucéphal*. Puisqu'un aumônier de François Ier retranche un e à *Bucéphale*, pourquoi un prince royal de Prusse n'aurait-il pas retranché un e à *crépe* ? Mais je suis un peu fâché que Mélin de Saint-Gelais, en parlant au cheval de François Ier, lui ai dit :

> Sans que tu sois un Bucéphal,
> Tu portes plus grand qu'Alexandre.

L'hyperbole est trop forte, et j'y aurais voulu plus de finesse.

Vous me critiquez, mon cher doyen, avec autant de politesse que vous rendez de justice au singulier génie du philosophe de Sans-Souci. J'ai dit, il est vrai, dans *le Siècle de Louis XIV*, à l'article des Musiciens, que nos rimes féminines, terminées toutes par un e muet, font un effet très désagréable dans la musique lorsqu'elles finissent un couplet. Le chanteur est absolument obligé de prononcer :

> Si vous aviez la rigueur
> De m'ôter votre cœur,
> Vous m'ôteriez la *vi-eu* (2).

Arbonne est forcée de dire :

> Tout me parle de ce que j'*aime-eu* (3).

(1) Louis de Courcillon, abbé de Dangeau (1643-1723), grammairien ; il était le frère du marquis de Dangeau, l'auteur du *Journal de la Cour de Louis XV*.
(2) *Armide*, de Quinault (A. V, sc. I).
(3) *Amadis*, de Quinault (A. II, sc. II).

Médor est obligé de s'écrier :

> ... Ah ! quel tourment
> D'aimer sans *espérance-eu* (1).

La gloire et la victoire, à la fin d'une tirade, font presque toujours la *gloire-eu*, la *victoire-eu*. Notre modulation exige trop souvent ces tristes désinences. Voilà pourquoi Quinault a grand soin de finir, autant qu'il le peut, ses couplets par des rimes masculines ; et c'est ce que recommandait le grand musicien Rameau à tous les poètes qui composaient pour lui.

Qu'il me soit donc permis, mon cher maître, de vous représenter que je ne puis être d'accord avec vous quand vous dites « qu'il est inutile et peut-être ridicule de chercher l'origine de cette prononciation *gloire-eu, victoire-eu*, ailleurs que dans la bouche de nos villageois ». Je n'ai jamais entendu de paysan prononcer ainsi en parlant ; mais ils y sont forcés lorsqu'ils chantent. Ce n'est pas non plus une prononciation vicieuse des acteurs et des actrices de l'Opéra ; au contraire, ils font ce qu'ils peuvent pour sauver la longue tenue de cette finale désagréable, et ne peuvent souvent en venir à bout. C'est un petit défaut attaché à notre langue, défaut bien compensé par le bel effet que font nos e muets dans la déclamation ordinaire.

Je persiste encore à vous dire qu'il n'y a aucune nation en Europe qui fasse sentir les e muets, excepté la nôtre. Les Italiens et les Espagnols n'en ont pas. Les Allemands et les Anglais en ont quelques-uns ; mais ils ne sont jamais sensibles ni dans la déclamation ni dans le chant.

Venons maintenant à l'usage de la rime, dont les Italiens et les Anglais se sont défaits dans la tragédie, et dont nous ne devons jamais secouer le joug. Je ne sais si c'est moi que vous accusez d'avoir dit que la rime est une invention des siècles barbares ; mais si je ne l'ai pas dit, permettez-moi d'avoir la hardiesse de vous le dire.

Je tiens, en fait de langue, tous les peuples pour barbares, en comparaison des Grecs et de leurs disciples les Romains, qui seuls ont connu la vraie prosodie. Il faut surtout que la nature eût donné aux premiers Grecs des organes plus heureusement disposés que ceux des autres nations, pour former en peu de temps un langage tout composé de brèves et de

(1) *Roland*, de Quinault (A. I, sc. III).

longues, et qui, par un mélange harmonieux de consonnes et de voyelles, était une espèce de musique vocale. Vous ne me condamnerez pas, sans doute, quand je vous répéterai que le grec et le latin sont à toutes les autres langues du monde ce que le jeu d'échecs est au jeu de dames, et ce qu'une belle danse est à une démarche ordinaire.

Malgré cet aveu, je suis bien loin de vouloir proscrire la rime, comme feu M. de la Motte; il faut tâcher de se bien servir du peu qu'on a, quand on ne peut atteindre à la richesse des autres. Taillons habilement la pierre, si le porphyre et le granit nous manquent. Conservons la rime; mais permettez-moi toujours de croire que la rime est faite pour les oreilles, et non pas pour les yeux.

J'ai encore une autre représentation à vous faire. Ne serais-je point un de ces téméraires que vous accusez de vouloir changer l'orthographe? J'avoue qu'étant très dévoué à saint François, j'ai voulu le distinguer des *Français*; j'avoue que j'écris *Danois* et *Anglais* : il m'a toujours semblé qu'on doit écrire comme on parle, pourvu qu'on ne choque pas trop l'usage, pourvu que l'on conserve les lettres qui font sentir l'étymologie et la vraie signification du mot.

Comme je suis très tolérant, j'espère que vous me tolérerez. Vous pardonnerez surtout ce style négligé à un *Français* ou à un *François* qui *avait* ou qui *avoit* été élevé à Paris, dans le centre du bon goût, mais qui s'est un peu engourdi depuis treize ans, au milieu des montagnes de glace dont il est environné. Je ne suis pas de ces phosphores qui se conservent dans l'eau. Il me faudrait la lumière de l'Académie pour m'éclairer et m'échauffer; mais je n'ai besoin de personne pour ranimer dans mon cœur les sentiments d'attachement et de respect que j'ai pour vous, ne vous en déplaise, depuis plus de soixante ans.

SUR SON ÉTAT DE SANTÉ

A MADAME LA MARQUISE DU DEFFAND

A Ferney, 8 février 1768.

Je n'écris point, madame, cela est vrai; et la raison en est que la journée n'a que vingt-quatre heures, que d'ordinaire j'en mets dix ou douze à souffrir, et que le reste est occupé par des sottises qui m'accablent comme si elles étaient sérieuses. Je n'écris point, mais je vous aime de tout mon cœur. Quand je vois quelqu'un qui a eu le bonheur d'être admis chez vous, je l'interroge une heure entière. Mon fils adoptif Dupuits (1) est pénétré de vos bontés ; il a dû vous rendre compte de la vie ridicule que je mène. Il y a trois ans que je ne suis sorti de ma maison ; il y a un an que je ne sors point de mon cabinet, et six mois que je ne sors guère de mon lit.

M. de Chabrillant (2) a été chez moi six semaines. Il peut vous dire que je ne me suis pas mis à table avec lui une seule fois. La faculté digérante étant absolument anéantie chez moi, je ne m'expose plus au danger. J'attends tout doucement la dissolution de mon être, remerciant très sincèrement la nature de m'avoir fait vivre jusqu'à soixante-quatorze ans, petite faveur à laquelle je ne me serais jamais attendu.

Vivez longtemps, madame, vous qui avez un bon estomac et de l'esprit, vous qui avez regagné en idées ce que vous avez perdu en rayons visuels, vous que la bonne compagnie environne, vous qui trouvez mille ressources dans votre courage d'esprit, et dans la fécondité de votre imagination.

Je suis mort au monde. On m'attribue tous les jours mille petits bâtards posthumes que je ne connais point (3). Je suis mort, vous dis-je ; mais, du fond de mon tombeau, je fais des vœux pour vous. Je suis occupé de votre état. Je suis en colère contre la nature, qui m'a trop bien traité en me laissant voir le soleil, et en me permettant de lire, tant bien que mal, jusqu'à la fin ; mais qui vous a ravi ce qu'elle vous devait.

Cela seul me fait détester les romans qui supposent que nous sommes dans le meilleur des mondes possibles. Si cela était, on ne perdrait pas la meilleure partie de soi-même longtemps avant de perdre tout le reste. Le nombre des souffrants est infini ; la nature se moque des individus.

---

(1) Le mari de Mlle de Corneille, nièce du grand Corneille, que Voltaire avait adoptée et dotée.

(2) Présent à Genève avec le régiment de Conti dont il était colonel ; ce régiment se trouvait à Genève en raison des troubles qu'avait amenés la condamnation de l'*Émile* de J.-J. Rousseau.

(3) Allusion à des ouvrages dont il niait être l'auteur, mais qui étaient bien de lui.

Pourvu que la grande machine de l'univers aille son train, les cirons qui l'habitent ne lui importent guère.

Je suis, de tous les cirons, le plus anciennement attaché à vous, et, comme je disais fort bien dans le commencement de ma lettre, malgré mon respect pour vous, madame, je vous aime de tout mon cœur.

SKAKESPEARE ET RACINE

A M. HORACE WALPOLE

A Ferney, le 15 juillet 1768.

Monsieur, il y a quarante ans que je n'ose plus parler anglais, et vous parlez notre langue très bien. J'ai vu des lettres de vous, écrites comme vous pensez. D'ailleurs mon âge et mes maladies ne me permettent pas d'écrire de ma main. Vous aurez donc mes remercîments dans ma langue.

Je viens de lire la préface de votre *Histoire de Richard III*, elle me paraît trop courte. Quand on a si visiblement raison et qu'on joint à ses connaissances une philosophie si ferme et un style si mâle, je voudrais qu'on me parlât plus long-temps. Votre père était un grand ministre et un bon orateur, mais je doute qu'il eût pu écrire comme vous. Vous ne pouvez pas dire : *Quia pater major me est* (1).

J'ai toujours pensé comme vous, monsieur, qu'il faut se défier de toutes les histoires anciennes. Fontenelle, le seul homme du siècle de Louis XIV qui fût à la fois poète, philosophe, et savant, disait qu'elles étaient des *fables convenues* ; et il faut avouer que Rollin a trop compilé de chimères et de contradictions.

Après avoir lu la préface de votre histoire, j'ai lu celle de votre roman (2). Vous vous y moquez un peu de moi : les Français entendent raillerie ; mais je vais vous répondre sérieusement.

(1) Parce que mon père est plus grand que moi (*Évangile selon saint Jean*, xiv, 28). Le père d'Horace Walpole était Robert Walpole (1676-1755), qui fut un ministre très habile des rois Georges Iᵉʳ et Georges II.
(2) *Le Château d'Otrante*, qui avait quatre volumes.

Vous avez presque fait accroire à votre nation que je méprise Shakespeare. Je suis le premier qui aie fait connaître Shakespeare aux Français ; j'en traduisis des passages, il y a quarante ans, ainsi que de Milton, de Waller, de Rochester, de Dryden, et de Pope. Je peux vous assurer qu'avant moi personne en France ne connaissait la poésie anglaise ; à peine avait-on entendu parler de Locke. J'ai été persécuté pendant trente ans par une nuée de fanatiques, pour avoir dit que Locke est l'Hercule de la métaphysique, qui a posé les bornes de l'esprit humain.

Ma destinée a encore voulu que je fusse le premier qui aie expliqué à mes concitoyens les découvertes du grand Newton, que quelques personnes parmi nous appellent encore des *systèmes*. J'ai été votre apôtre et votre martyr : en vérité, il n'est pas juste que les Anglais se plaignent de moi.

J'avais dit, il y a très longtemps, que si Shakespeare était venu dans le siècle d'Addison, il aurait joint à son génie l'élégance et la pureté qui rendent Addison recommandable. J'avais dit que *son génie était à lui, et que ses fautes étaient à son siècle*. Il est précisément, à mon avis, comme le Lope de Vega des Espagnols, et comme le Calderon. C'est une belle nature, mais bien sauvage ; nulle régularité, nulle bienséance, nul art, de la bassesse avec de la grandeur, de la bouffonnerie avec du terrible : c'est le chaos de la tragédie, dans lequel il y a cent traits de lumière.

Les Italiens, qui restaurèrent la tragédie un siècle avant les Anglais et les Espagnols, ne sont point tombés dans ce défaut ; ils ont mieux imité les Grecs. Il n'y a point de bouffons dans l'*Œdipe* et dans l'*Électre* de Sophocle. Je soupçonne fort que cette grossièreté eut son origine dans nos *fous de cour*. Nous étions un peu barbares, tous tant que nous sommes, en deçà des Alpes. Chaque prince avait son fou en titre d'office. Des rois ignorants, élevés par des ignorants, ne pouvaient connaître les plaisirs nobles de l'esprit : ils dégradèrent la nature humaine au point de payer des gens pour leur dire des sottises. De là vint notre *Mère sotte* ; et, avant Molière, il y avait toujours un fou de cour dans presque toutes les comédies : cette mode est abominable.

J'ai dit, il est vrai, monsieur, ainsi que vous le rapportez, qu'il y a des comédies sérieuses, telles que le *Misanthrope*, lesquelles sont des chefs-d'œuvre ; qu'il y en a de très plaisantes, comme *George Dandin* ; que la plaisanterie, le sérieux, l'attendrissement, peuvent très bien s'accorder dans la même comédie. J'ai dit que tous les genres sont bons, hors le genre ennuyeux. Oui, monsieur ; mais la grossièreté n'est point un genre. *Il y a beaucoup de logements dans la maison de mon père ;* mais je n'ai pas prétendu qu'il fût honnête de loger dans la même chambre Charles-Quint et don Japhet d'Arménie, Auguste et un matelot ivre, Marc Aurèle et un bouffon des rues. Il me semble qu'Horace pensait ainsi dans le plus beau des siècles : consultez son *Art poétique.* Toute l'Europe éclairée pense de même aujourd'hui ; et les Espagnols commencent à se défaire à la fois du mauvais goût comme de l'inquisition ; car le bon esprit proscrit également l'un et l'autre.

Vous sentez si bien, monsieur, à quel point le trivial et le bas défigurent la tragédie, que vous reprochez à Racine de faire dire à Antiochus, dans *Bérénice :*

> De son appartement cette porte est prochaine,
> Et cette autre conduit dans celui de la reine.

Ce ne sont pas là certainement des vers héroïques ; mais ayez la bonté d'observer qu'ils sont dans une scène d'exposition, laquelle doit être simple. Ce n'est pas là une beauté de poésie, mais c'est une beauté d'exactitude qui fixe le lieu de la scène, qui met tout d'un coup le spectateur au fait, et qui l'avertit que tous les personnages paraîtront dans ce cabinet, lequel est commun aux autres appartements ; sans quoi il ne serait point vraisemblable que Titus, Bérénice et Antiochus parlassent toujours dans la même chambre.

> Que le lieu de la scène y soit fixe et marqué,

dit le sage Despréaux, l'oracle du bon goût, dans son *Art poétique,* égal pour le moins à celui d'Horace. Notre excellent Racine n'a presque jamais manqué à cette règle ; et c'est une chose digne d'admiration qu'Athalie paraisse dans le temple des Juifs, et dans la même place où l'on a vu le grand prêtre, sans choquer en rien la vraisemblance.

Vous n'observez, vous autres libres Bretons, ni *unité de lieu,* ni *unité de temps,* ni *unité d'action.* En vérité, vous n'en faites pas mieux : la vraisemblance doit être comptée pour quelque chose. L'art en devient plus difficile, et les difficultés vaincues donnent en tout genre du plaisir et de la gloire.

Permettez-moi, tout Anglais que vous êtes, de prendre un peu le parti de ma nation. Je lui dis si souvent ses vérités, qu'il est bien juste que je la caresse quand je crois qu'elle a raison. Oui, monsieur, j'ai cru, je crois, et je croirai que Paris est très supérieur à Athènes en fait de tragédies et de comédies. Molière, et même Regnard, me paraissent l'emporter sur Aristophane, autant que Démosthène l'emporte sur nos avocats. Je vous dirai hardiment que toutes les tragédies grecques me paraissent des ouvrages d'écoliers, en comparaison des *sublimes scènes* de Corneille, et des *parfaites tragédies* de Racine. C'était ainsi que pensait Boileau lui-même, tout admirateur des anciens qu'il était. Il n'a fait nulle difficulté d'écrire au bas du portrait de Racine que ce grand homme avait surpassé Euripide, et balancé Corneille (1).

Oui, je crois démontrer qu'il y a beaucoup plus d'hommes de goût à Paris que dans Athènes. Nous avons plus de trente mille âmes à Paris qui se plaisent aux beaux-arts, et Athènes n'en avait pas dix mille ; le bas peuple d'Athènes entrait au spectacle, et il n'y entre pas chez nous, excepté qu'on lui donne un spectacle gratis, dans des occasions solennelles ou ridicules. Notre commerce continuel avec les femmes a mis dans nos sentiments beaucoup plus de délicatesse, plus de bienséance dans nos mœurs, et plus de finesse dans notre goût. Laissez-nous notre théâtre, laissez aux Italiens leur *favole boscareccie* (2) ; vous êtes assez riches d'ailleurs.

De très mauvaises pièces, il est vrai, ridiculement intriguées, barbarement écrites, ont pendant quelque temps à Paris des succès prodigieux, soutenus par la cabale, l'esprit de parti, la mode, la protection passagère de quelques personnes accréditées. C'est l'ivresse du moment ; mais en très peu d'années l'illusion se dissipe. *Don Japhet d'Arménie* et *Jodelet* sont renvoyés à la populace, et le *Siège de Calais* n'est plus estimé qu'à Calais.

Il faut que je vous dise encore un mot sur la rime que vous nous reprochez. Presque toutes les pièces de Dryden sont

(1) Voici ce quatrain composé par Boileau en 1699 :
Du théâtre français l'honneur et la merveille,
Il sut ressusciter Sophocle en ses écrits ;
Et, dans l'art d'enchanter les cœurs et les esprits,
Surpasser Euripide et balancer Corneille.

(2) Fables bocagères.

rimées : c'est une difficulté de plus. Les vers qu'on retient de lui, et que tout le monde cite, sont rimés ; et je soutiens encore que *Cinna, Athalie, Phèdre, Iphigénie* étant rimées, quiconque voudrait secouer ce joug, en France, serait regardé comme un artiste faible qui n'aurait pas la force de le porter.

En qualité de vieillard, je vous dirai une anecdote. Je demandais un jour à Pope pourquoi Milton n'avait pas rimé son poème, dans le temps que les autres poètes rimaient leurs poèmes, à l'imitation des Italiens ; il me répondit : *Because he could not* (1).

SUR LE POEME DES SAISONS

A M. SAINT-LAMBERT (2)

A Ferney, 7 mars 1769.

Je reçus hier matin, monsieur, le présent dont vous m'avez honoré, et vous vous doutez bien à quoi je passai ma journée. Il y a bien longtemps que je n'ai goûté un plaisir plus pur et plus vrai. J'avais quelques droits à vos bontés comme votre confrère dans un art très difficile, comme votre ancien ami, et comme agriculteur. Vous aurez beaucoup d'admirateurs ; mais je me flatte d'avoir senti le charme de vos vers et de vos peintures plus que personne. Je crois me connaître un peu en vers ; les grands plaisirs, dans tous les arts, ne sont que pour les connaisseurs.

J'ai éprouvé, en vous lisant, une autre satisfaction encore plus rare, c'est que vous avez peint précisément ce que j'ai fait.

> Oh ! que j'aime bien mieux ce modeste jardin
> Où l'art en se cachant fécondait le terrain ! etc., etc.

Voilà mon aventure. De longues allées où, parmi quelques ormeaux et mille autres arbres, on cueille des abricots et des prunes ; des troupeaux qui bondissent entre un parterre et

(1) « Parce qu'il n'a pas pu. »
(2) Saint-Lambert (1716-1803), auteur du poème des *Saisons*. On trouvera dans le volume de notre collection consacré aux *Petits poètes du XVIIIe siècle*, le début de ce poème ainsi qu'une notice sur l'auteur.

des bosquets ; un petit champ que je sème moi-même, entouré d'allées agréables ; au bout des vignes, des pâturages, et au bout des pâturages, une forêt.

C'est chez moi que mûrit *la figue à côté du melon*, car je crois que vous n'avez guère de figues en Lorraine. Je dois donc vous remercier d'avoir dit si bien ce que j'aurais dû dire.

Je vous assure que mon cœur a été bien ému en lisant les petites leçons que vous donnez aux seigneurs des terres, dans votre troisième chant. Il est vrai que je n'habite pas le *donjon des ancêtres*, je n'aime en aucune façon les donjons ; mais du moins je n'ai pas fait le malheur de mes vassaux et de mes voisins. Les terres que j'ai défrichées, et un peu embellies, n'ont vu couler que les larmes des Calas et des Sirven, quand ils sont venus dans mon asile. J'ai quadruplé le nombre de mes paroissiens ; et, Dieu merci, il n'y a pas un pauvre.

> *Nec doluit miserans inopem, aut invidit habenti.*
> (Virg., *Georg.*, lib. II, v. 499.)

Chaque chant a des tableaux qui parlent au cœur. Pourquoi citez-vous Thomson ? c'est le Titien qui loue un peintre flamand.

Votre quatrième, qui paraît fournir le moins, est celui qui rend le plus. Je ne crains point d'être aveuglé par la reconnaissance extrême que je vous dois ; il m'a charmé très indépendamment de la générosité courageuse avec laquelle vous parlez d'un homme si longtemps persécuté par ceux qui se disaient gens de lettres.

J'ai un remords, c'est d'avoir insinué à la fin du *Siècle* présent, qui termine le grand *Siècle de Louis XIV*, que les beaux-arts dégénéraient. Je ne me serais pas ainsi exprimé si j'avais eu vos *Quatre Saisons* un peu plus tôt. Votre ouvrage est un chef-d'œuvre ; les *Quatre Saisons* et le quinzième chapitre de *Bélisaire* sont deux morceaux au-dessus du siècle. Ce n'est pas que je les mette à côté l'un de l'autre, je sais le profond respect que la prose doit à la poésie ; c'est ce que Montesquieu ne savait pas, ou ne voulait pas savoir. Écrit en prose qui veut, mais en vers qui peut. Il est plus difficile de faire cent beaux vers que d'écrire toute l'histoire de France. Aussi qui fait de bons vers de suite ? presque personne. On a osé faire des tragédies depuis Racine ; mais.

ce sont des tragédies en rimes, et non pas en vers. Nos Welches du parterre et des loges, qu'on a eu tant de peine à débarbariser, se doutent rarement si une pièce est bien écrite. Le nombre des vrais poètes et des vrais connaisseurs sera toujours extrêmement petit ; mais il faut qu'il le soit, c'est le petit nombre des élus. Moins il y a d'initiés, plus les mystères sont sacrés.

Je suis fâché que vous ayez écrit *français* avec un *o* (1) ; c'est la seule chose que je vous reproche. Sans doute vous serez des nôtres à la première place vacante (2). Si c'est la mienne, je m'applaudis de vous avoir pour successeur. Nous avons besoin d'avoir un homme comme vous contre les ennemis du bon goût et contre ceux de la raison. Ces derniers commencent à être dans la boue ; mais ils trépignent si fort qu'ils excitent quelquefois de petits nuages. Il faudrait se donner le mot de ne jamais recevoir aucun de ces messieurs-là.

A propos, pourquoi votre livre dit-il qu'il est imprimé à Amsterdam ? est-ce que Paris n'en est pas digne ? n'y a-t-il que le *Journal chrétien* et les décrets de la Sorbonne qui puissent être imprimés dans la capitale des Welches ?

Je finis en vous remerciant, en vous admirant, et en vous aimant.

SA VIE A LA CAMPAGNE

A MADAME DU DEFFAND

8 mars 1769.

Voilà les neiges de nos montagnes qui commencent à fondre, et mes yeux qui commencent à voir. Il faut que je fasse tout ce que Saint-Lambert a si bien décrit. La campagne m'appelle, deux cents bras travaillent sous mes yeux ; je bâtis, je plante, je sème, je fais vivre tout ce qui m'environne. Les *Saisons* de Saint-Lambert m'ont rendu la campagne encore plus précieuse. Je me fais lire à dîner et à souper de bons livres par des lecteurs très intelligents qui sont plutôt mes

(1) Voir déjà cette observation dans la lettre à l'abbé d'Olivet (p. 92).
(2) A l'Académie française.

amis que mes domestiques. Si je ne craignais d'être un fat,
je vous dirais que je mène une vie délicieuse. J'ai de
l'horreur pour la vie de Paris, mais je voudrais au moins y
passer un hiver avec vous.

SUR LE PROJET DE LUI ÉLEVER
UNE STATUE

A MADAME NECKER (1)

21 mai 1770.

Ma juste modestie, madame, et ma raison me faisaient
croire d'abord que l'idée d'une statue était une bonne plaisanterie ; mais, puisque la chose est sérieuse, souffrez que
je vous parle sérieusement.

J'ai soixante-seize ans, et je sors à peine d'une grande
maladie qui a traité fort mal mon corps et mon âme pendant
six semaines. M. Pigalle doit, dit-on, venir modeler mon
visage ; mais, madame, il faudrait que j'eusse un visage ; on
en devinerait à peine la place. Mes yeux sont enfoncés de
trois pouces, mes joues sont du vieux parchemin mal collé
sur des os qui ne tiennent à rien. Le peu de dents que j'avais
est parti. Ce que je vous dis là n'est point coquetterie : c'est
la pure vérité. On n'a jamais sculpté un pauvre homme dans
cet état ; M. Pigalle croirait qu'on s'est moqué de lui ; et,
pour moi, j'ai tant d'amour-propre, que je n'oserais jamais
paraître en sa présence. Je lui conseillerais, s'il veut mettre
fin à cette étrange aventure, de prendre à peu près son
modèle sur la petite figure en porcelaine de Sèvres. Qu'importe, après tout, à la postérité, qu'un bloc de marbre ressemble à un tel homme ou à un autre ? Je me tiens très
philosophe sur cette affaire. Mais, comme je suis encore
plus reconnaissant que philosophe, je vous donne, sur ce qui
me reste de corps, le même pouvoir que vous avez sur ce qui

(1) Suzanne Curchod de Nasse 1739-1774). Elle était fille d'un ministre protestant. En 1764 elle épousa Necker et tint à Paris un salon demeuré célèbre.
C'est chez elle, pendant un dîner, le 17 avril 1770, qu'un groupe de littérateurs
décida d'élever par souscription une statue à Voltaire, et d'en confier l'exécution à Pigalle.

me reste d'âme. L'un et l'autre sont fort en désordre ; mais mon cœur est à vous, madame, comme si j'avais vingt-cinq ans, et le tout avec un très sincère respect. Mes obéissances, je vous en supplie, à M. Necker.

EN RÉPONSE A DEUX BAISERS

A MADAME LA COMTESSE DU BARRY

20 juin 1773.

Madame, M. de la Borde me dit que vous lui aviez ordonné de m'embrasser des deux côtés de votre part.

> Quoi ! deux baisers sur la fin de ma vie !
> Quel passeport vous daignez m'envoyer !
> Deux ! c'est trop d'un, adorable Égérie ;
> Je serais mort de plaisir au premier.

Il m'a montré votre portrait ; ne vous fâchez pas, madame, si j'ai pris la liberté de lui rendre les deux baisers.

> Vous ne pouvez empêcher cet hommage,
> Faible tribut de quiconque a des yeux.
> C'est aux mortels d'adorer votre image ;
> L'original était fait pour les dieux.

J'ai entendu plusieurs morceaux de la *Pandore*, de M. de la Borde ; ils m'ont paru bien dignes de votre protection. La faveur donnée aux véritables beaux-arts est la seule chose qui puisse augmenter l'éclat dont vous brillez.

> Votre portrait va me suivre sans cesse,
> Et je lui rends vos baisers ravissants,
> Oui, tous les deux ; et, dans ma douce ivresse,
> Je voudrais voir renaître le printemps.

Daignez agréer, madame, le profond respect d'un vieux solitaire dont le cœur n'a presque plus d'autre sentiment que celui de la reconnaissance.

CONTRE LE TOURNEUR
TRADUCTEUR DE SHAKESPEARE

A M. LE COMTE D'ARGENTAL

19 juillet 1776.

Mon cher ange, j'apprends que Mme de Saint-Julien (1) arrive dans mon désert avec Lekain. Si la chose est vraie, j'en suis tout étonné et tout joyeux ; mais il faut que je vous dise combien je suis fâché, pour l'honneur du *tripot*, contre un nommé Tourneur (2), qu'on dit secrétaire de la librairie, et qui ne me paraît pas le secrétaire du bon goût. Auriez-vous lu deux volumes de ce misérable, dans lesquels il veut nous faire regarder Shakespeare comme le seul modèle de la véritable tragédie ? il l'appelle le *dieu du théâtre*. Il sacrifie tous les Français, sans exception, à son idole, comme on sacrifiait autrefois des cochons à Cérès. Il ne daigne pas même nommer Corneille et Racine ; ces deux grands hommes sont seulement enveloppés dans la proscription générale, sans que leurs noms soient prononcés. Il y a déjà deux tomes imprimés de ce Shakespeare qu'on prendrait pour des pièces de la Foire, faites il y a deux cents ans.

Ce barbouilleur a trouvé le secret de faire engager le roi, la reine, et toute la famille royale, à souscrire à son ouvrage.

Avez-vous lu son abominable grimoire, dont il y aura encore cinq volumes ? avez-vous une haine assez vigoureuse contre cet impudent imbécile ? souffrirez-vous l'affront qu'il fait à la France ? Vous et M. de Thibouville (3), vous êtes trop doux. Il n'y a point en France assez de camouflets, assez de bonnets d'âne, assez de piloris pour un pareil faquin. Le sang pétille dans mes vieilles veines, en vous parlant de lui. S'il ne vous a pas mis en colère, je vous tiens pour un homme

(1) Elle était née comtesse de la Tour du Pin ; elle avait pour Voltaire une admiration sans bornes ; il l'avait surnommée *Papillon philosophe*.
(2) Le Tourneur (1736-1788).
(3) Le marquis de Thibouville (1710-1784) ; s'est amusé à composer quelques ouvrages pour le théâtre.

impassible. Ce qu'il y a d'affreux, c'est que le monstre a un parti en France ; et, pour comble de calamité et d'horreur, c'est moi qui autrefois parlai le premier de ce Shakespeare ; c'est moi qui le premier montrai aux Français quelques perles que j'avais trouvées dans son énorme fumier. Je ne m'attendais pas que je servirais un jour à fouler aux pieds les couronnes de Racine et de Corneille pour orner le front d'un histrion barbare.

Tâchez, je vous prie, d'être aussi en colère que moi, sans quoi je me sens capable de faire un mauvais coup. Je reviens à Lekain. On dit qu'il jouera six pièces pour les Genevois ou pour moi. J'aimerais mieux qu'il eût joué *Olympie* à Paris ; mais il n'aime point à figurer dans un rôle lorsqu'il n'écrase pas tous les autres...

Si vous voulez, mon cher ange, me guérir de ma mauvaise humeur, daignez m'écrire un petit mot.

MIRABEAU

Gabriel-Honoré Riquetti, comte de Mirabeau, naquit au Bignon (Loiret), le 9 mars 1749. Le marquis de Mirabeau, son père, était un homme d'une intelligence remarquable, très occupé de questions économiques, fécond en projets de réformes, et auteur, entre autres ouvrages, de l'*Ami des lois*. C'est le titre qu'il se décernait à lui-même. Mais cet ami des hommes, très jaloux des privilèges de sa caste, se montra un père très dur. Le jeune comte de Mirabeau, extrêmement laid, était aussi extrêmement intelligent et d'une nature extrêmement fougueuse, que les obstacles devaient irriter et exciter davantage. Le marquis ne sut pas prendre son fils. Au lieu de le détourner doucement, il s'opposa violemment à lui, et, naturellement, il en résulta entre le fils et le père un état constant d'hostilité.

On sait de quelles agitations fut remplie la vie du comte de Mirabeau. Interné une première fois à l'île de Ré, pour s'être enfui de Saintes, où il était sous-lieutenant et où il laissait une dette de jeu ; interdit de nouveau à la demande de son père, pour de nouvelles dettes qu'il avait faites après sa libération ; incarcéré une fois de plus, toujours à la demande de son père, pour une correction administrée à un M. de Villeneuve Moans ; arrêté en Hollande où il s'était enfui après s'être évadé, et où il avait entraîné Mme de Monnier, femme du premier président de la Cour des comptes de Dôle, qu'il avait séduite ; enfermé cette fois au donjon de Vincennes où il resta trois ans et d'où il écrivit à Mme de Monnier les fameuses lettres à Sophie, où il jette pêle-mêle toutes ses idées et toute sa passion ; on le trouve en 1789 député du Tiers à l'Assemblée constituante, ouvrier de la Révolution qu'il chercha ensuite à arrêter sur la pente où elle glissait. Il mourut le 2 avril 1791, au moment où la royauté expirante espérait de lui son salut. Il a écrit plusieurs ouvrages sur la politique, et des lettres dont on n'a pas aujourd'hui encore une bonne édition.

LA CHAISE DE POSTE VERSÉE

AU BAILLI DE MIRABEAU (1)

12 décembre 1771.

Fracti be llo, fatisque repulsi
Ductores Danaum...

Voilà, mon cher oncle, un début en bon latin, qui veut
dire que je suis roué de fatigue, n'ayant, depuis huit jours,
guère plus dormi que les sentinelles, et ayant eu la précaution de sonder, avec les roues de ma chaise, toutes les
ornières gisantes entre Paris et Marseille. Ces ornières étaient,
et sont encore, je pense, très profondes et très nombreuses ;
plus, mon essieu cassa entre Meursault, Romané, Chamber-
tin et Beaune : quel point géographique, si j'avais l'esprit
d'être ivrogne ! Mais comme je n'avais point là votre boussole,
vous permettrez que je ne dise pas avec précision les divers
rumbs de vent où gisent les côtes vineuses ; au surplus, ce
méchef m'arriva à cinq heures du soir, mon laquais ayant
pris les devants. Il ne tombait que de la neige fondue d'abord,
mais heureusement, elle prit, après, quelque consistance. Le
voisinage de Beaune me fit espérer de trouver du génie dans
les habitants du pays ; j'avais besoin de bons conseils : le
diable me conseilla d'abord de jurer ; mais l'envie m'en
passa, et je succombai, par préférence, à la tentation de rire
en voyant passer un saint prêtre, fourré jusqu'au menton, et
contre la béate face duquel la neige donnait, ce qui lui faisait
une mine si bizarre, que je crus que ce fut ce qui chassa
l'esprit tentateur qui me conviait à jurer. Ce saint homme me
demanda, voyant ma chaise couchée sur le bas bord, et une
des roues à l'écart, s'il m'était arrivé quelque chose ; je lui
répondis que personnellement il ne m'arrivait là rien que de
la neige : « Ah ! dit-il ingénieusement, c'est donc votre chaise

(1) Jean-Antoine, bailli de Mirabeau, frère cadet du marquis, et oncle, par
conséquent, du comte de Mirabeau.

qui est cassée ! » Je le priai de m'avouer sincèrement s'il n'en avait pas deviné quelque chose : « Oh ! me dit-il, je m'en étais presque douté ! » J'admirai la sagacité du personnage et le priai de doubler le pas, avec la permission de son cheval, qui faisait lui-même une mine assez plaisante à la neige, et d'aller, en passant, avertir à Chagny que j'étais là ; il m'assura qu'il le dirait à la maîtresse de la poste qui est sa cousine ; que c'était une femme fort aimable, mariée depuis trois ans avec un homme des plus honnêtes du lieu, neveu du procureur du roi d'un pays qu'il me nomma, mais qui n'est marqué sur aucune de vos cartes marines. Enfin, après m'avoir appris tous les tenants et aboutissants de lui curé, de sa cousine, de son cousin et de je ne sais qui encore, il donna quelques coups d'éperon à son sage cheval, qui en gémit.

J'oubliais de vous dire que j'avais commencé par détacher mon postillon, à Meursault, dont il savait le chemin, car il y allait, m'avait-il dit, tous les jours boire bouteille ; il ne se vantait pas, car je crois qu'il buvait plus, et je craignis fort que la fantaisie ne lui prît de voir si, depuis son départ, le vin ne s'était pas gâté ; la peur ne guérit de rien : il n'était que gris quand il partit, mais heureusement quand il revint, ce qui fut assez tard, il était ivre. Je faisais sentinelle ; plusieurs Beaunois passèrent qui tous me demandèrent s'il était arrivé quelque chose ; je répondis à l'un d'eux que c'était une épreuve, et que l'on m'envoyait de Paris pour voir si une chaise allait avec une seule roue ; que la mienne était venue jusque-là, mais que j'allais écrire que deux roues étaient préférables. Dans le moment mon homme se heurta l'os de la jambe contre l'autre roue, porta sa main à l'endroit meurtri, jura comme j'avais voulu faire et peut-être fait, et me dit en souriant : « Ah ! monsieur, voici l'autre roue. — Diable ! répondis-je froidement, je ne m'en étais pas aperçu. » Un autre, après avoir examiné longtemps, et avec un air très capable, me dit : « Ma foi ! monsieur, c'est votre *essi* qui est cassé ; » c'est ainsi qu'ils appellent un essieu.

« A BOIRE AU ROI »

A SOPHIE

13 novembre 1779.

Quelqu'un de ma connaissance me contait un jour qu'ayant un rapport à faire à Versailles, il était couché chez un baigneur (1), et dormait d'un profond sommeil, lorsque tout à coup il s'entend éveiller par une voix très sonore, qui se mit à crier : *A boire au roi*. Mon homme prête l'oreille. L'instant d'après : *A boire au roi*, d'un ton plus grave ; puis un peu plus fort ; puis les mots traînés. Enfin cette voix s'élève, crie encore plus haut, tousse, crache, s'égosille, et toujours : *A boire au roi*. Mon ami (suppose que ce soit moi), ne pouvant comprendre ce que cela veut dire, je fais sonner ma montre. « Deux heures du matin ; que diable ! à cette heure-ci... *A boire au roi*. Le grand couvert est fini il y a longtemps. Qu'est-ce que cela veut dire ? » Je frappe du poing contre la cloison. Chez ces baigneurs les chambres ne sont séparées que par des voliges jointives : on s'entend comme si tout n'était qu'une chambre. Le voisin était cette voix. Il s'aperçut bientôt qu'il avait réveillé quelqu'un. Il sort avec sa lumière, et du ton le plus empressé cogne à ma porte, que je suis obligé d'ouvrir en chemise. — « Hélas ! monsieur, me dit ce voisin, vous m'avez donc entendu ? — Qui diable ne vous entendrait pas, monsieur ? — Ah ! monsieur, que vous me faites de plaisir ; je vous ai réveillé, je vous demande excuse : mais, avant de crier après moi, daignez m'entendre. — Eh ! monsieur, qu'avez-vous, que vous est-il arrivé ? je n'ai pas l'honneur de vous connaître. — (Je croyais que cet homme était fou.) — Monsieur, je viens d'acquérir cette semaine une charge chez le roi. Je suis commensal. Mon cousin l'officier achète la charge de grand-queux ; mon neveu celle de hâteur, et on nous en offre une de tourne-brochier. Mais, monsieur, je sens bien que c'est moi qui ai la plus délicate de la famille à exercer. Elle ne dépend pas seulement de ma bonne volonté, j'y ferai de mon

(1) Au XVIIIe siècle, les baigneurs louaient des logements aux gens de passage.

mieux; mais, songez donc, si l'on ne répond pas, si l'on ne porte pas à boire au roi, que puis-je faire? Je n'ai pas, par ma charge, le droit d'appeler à boire. C'est le gobelet-vin qui remplit cette honorable fonction. Il est vrai que le gobelet-vin (1) ne peut se mouvoir que sur l'ordre que je lui en donne... J'ai bien l'action, je commande par mes provisions; mais le gobelet-vin a le pouvoir négatif. Il ne peut pas remuer, et la puissance active ne réside pas en ma personne. Si l'on ne m'obéit pas, si l'on ne m'entend pas, si l'on feint de ne m'avoir pas entendu, il faut que je vende ma charge; ma légitime (2) y est, je n'ai que cela pour vivre, je ne puis la vendre qu'à perte; j'ai donné un pot-de-vin que sera perdu; me voilà ruiné, et ce qui est bien pis, déshonoré aux yeux de ma famille. Je n'aurai pas eu le talent de remplir mes fonctions, tandis que mon parent le hâteur, mon cousin le grand-queux, exercent depuis quinze jours les leurs à la satisfaction de tout le monde. J'ai été tantôt au grand couvert; j'ai bien étudié le son de voix de mon vendeur, voilà mon diapason. J'ai bien le ton; mais j'entre dimanche, et croyez-vous, monsieur, que d'ici là je puisse apprendre, saisir, réussir, faire ce qu'il faut? *A boire au roi*; c'est-il bien? Vous allez peut-être souvent, monsieur, au grand couvert faire votre cour; ah! daignez me le dire: *A boire au roi*; c'est-il assez haut?... » Enfin, vois-tu? cet homme se désespérait, s'égosillait, s'enrouait, était hors de lui-même. Je le calmai avec beaucoup de peine; je cherchai à lui expliquer que ces charges tenaient beaucoup plutôt à l'étiquette qu'à la nécessité intrinsèque de leur exercice; que des ministres avides ou embarrassés avaient imaginé dans des temps difficiles tous ces petits moyens pour se procurer de modiques ressources, et qu'on avait travaillé en finance jusqu'à l'étiquette ridicule des cours; qu'il pouvait dormir tranquille, parce qu'à sa voix ou sans voix, le service du gobelet-pain ou du gobelet-vin se ferait avec ou sans la concurrence du *commensal-crieur-juré-à boire au roi*. « Comment, monsieur, me répondit cet homme, vous croyez que cela se peut comme cela? Vous croyez que la boisson du roi mon maître est indépendante des fonctions bien ou mal

(1) Le gobelet-vin, le tourne-brochier, le hâteur (de rôt), le grand-queux, le commensal étaient des officiers de bouche chargés d'assurer le service de la table du roi, et dont le chef était le *grand maître de France* qui est nommé dans la suite de cette lettre.

(2) Partie de l'héritage des parents dont les enfants ne peuvent être déshérités.

remplies de la charge dont les bontés de M. le grand maître viennent de me revêtir ? Comment ! — Eh ! oui, monsieur, je crois et j'en suis très sûr. » Cet homme entre dans des transports de joie ; il me remercie mille fois ; il m'assure que je deviens sa consolation ; qu'il en serait peut-être devenu fou ; qu'il va écrire aussitôt dans le Morvan où est sa femme, et dans le Hurepoix (1) où est son cher père, pour les assurer qu'il sera en état d'exercer sa place avec honneur ; et à la satisfaction de toutes les parties contractantes. — Enfin, je passai, me dit mon homme, la moitié de la nuit à écouter M. le commensal et je maudis l'étiquette. Or, sais-tu ce que c'est que cette histoire ? ce n'est pas seulement celle des Laurée et des Marville et autres *seigneurs* enorgueillis d'être douze ou quinze fois sur l'almanach royal ; c'est celle de tous nous autres humains, plus ou moins, selon que nous avons plus ou moins d'esprit ; mais de tous un peu ; nous regardons notre individu, notre influence, notre chose comme infiniment importante.

ACTE DE CONTRITION

AU MARQUIS DE MIRABEAU (2)

1779.

Mon père, je sens le devoir et le besoin de vous demander pardon de mes fautes, et c'est du plus profond de mon cœur que je regrette amèrement les chagrins qu'elles vous ont donnés. Je n'ai pas le droit de vous dire : effacez de votre mémoire les trop nombreuses erreurs dont j'espère pourtant avoir expié une grande partie, par tant d'années d'une continuelle infortune, et de la plus terrible captivité. Ce n'est point assez, je le sens, et pour obtenir de vous cette grâce, il faudrait, s'il était possible, réparer ; mais mon père, cela l'est-il dans la situation où je suis ? et m'ôterez-vous jusqu'à l'espoir de rentrer, du moins, dans une partie des droits que la nature m'avait donnés sur votre cœur, et dans la fonction douce et sacré de remplir les devoirs qu'elle m'impose envers

(1) Partie de l'Ile-de-France qui a Dourdan pour chef-lieu.
(2) Lettre écrite du donjon de Vincennes, où il était enfermé depuis 1777 et d'où il ne sortit qu'en 1780.

vous ? Mon père, je suis loin de vouloir m'excuser ; je vous écris, au contraire, avec la conscience d'un coupable qui s'accuse, et demande grâce à son juge. Ne me la refusez pas, au fond de votre âme, et souffrez que je le dise, vous ne le devez pas ; car quelle qu'ait été l'expression de mon ressentiment, ce crime-là même m'a donné des droits sur votre générosité, des droits à votre pardon, puisqu'il a rendu mon offense précisément personnelle à vous ; mais, je jure dans toute la sincérité de mon cœur, de ce cœur qui n'est pas dépravé, que les rigueurs, que j'ai mal interprétées, sans doute, et dont j'ai cru avoir à me plaindre, n'en ont jamais chassé les sentiments de tendresse et de respect que je vous dois ; et que je n'ai point pensé, comme vous avez paru le croire, ni à plaider contre vous, ni à me rendre partie dans le funeste procès qui a divisé et mutilé ma famille.

Mon père, vous dites et vous croyez que je suis un fol. Si je le suis, j'ai droit du moins à votre commisération, et ma situation est bien cruelle : mais je ne le suis pas, quoique j'aie été capable des plus grandes folies. Deux ans de solitude m'ont permis de scruter mon cœur. Il est bon, mais fougueux ; mon esprit lui-même est mélangé de bien comme de mal. C'est mon imagination trop bouillante, trop impétueuse, et trop mobile qui a fait mes erreurs, et mes fautes, et mes maux. Cette imagination est amortie et brisée. Le vieil homme n'est plus, et le vieil homme serait encore, qu'un bienfait tel que celui qui me rendrait votre vue et mon existence l'enchaînerait à jamais à vous.

Mon père, vous ne me croyez pas méchant : si je l'étais, je pourrais vous dire : *on n'a pas le droit de rendre malheureux ceux qu'on ne peut rendre bons ;* mais, grâces au ciel, je ne le suis pas. Je vous promets, je vous jure que mon désir le plus ardent est de réparer les chagrins que je vous ai causés, et de n'en jamais augmenter la mesure. Si j'enfreins ce serment, je n'aurai pas le moindre titre à l'indulgence de qui que ce soit ; et vous aurez assurément le droit irrévocable de frapper sans retour. Si vous ne me croyez pas le plus pervers et le plus insensé des hommes, vous pouvez donc être convaincu de la sincérité de cet aveu de mes torts et de mes résolutions. Consultez votre cœur, mon père, et daignez, ah ! daignez me dire, s'il vous dicte encore la proscription de votre fils.

SUR L'INOCULATION

A M. VITRY

Au Bignon, 28 juin 1781.

La lettre de votre ami que je vous renvoie, mon cher ami, n'est point mal raisonnée ; mais il accorde infiniment trop, en accordant qu'il peut mourir un inoculé sur mille (1). Il ne peut mourir d'inoculés, quand le choix du sujet sera bon et que les précautions seront suffisantes. Je n'entrerai dans aucun détail ; le mémoire que je vous envoie contient tout ; et je vous le dis avec confiance, parce que dans le fait il n'est que le précis de tout ce qui a été écrit de plus concluant et de plus sage sur cette importante matière, et qu'ainsi je ne suis que rédacteur ; je crois que cet écrit ne vous laissera aucun doute. Si, par hasard, on voulait vous en inspirer, en vous citant des exemples d'inoculations funestes, telles que celles de Mme Thélusson en dernier lieu, je vous prie, outre l'éternelle attention qu'il faut faire sur les circonstances, telles que le choix du sujet, etc., etc. (car c'est malgré lui que Tronchin a inoculé Mme Thélusson (2), et cela est impardonnable) ; je vous prie, dis-je, de vous demander à vous-même, si de toucher avec une plume sur l'épaule, ou d'y marquer quelqu'un avec de la craie est une opération bien dangereuse. Eh bien, faites cette opération sur plusieurs milliers de personnes et pariez toute votre fortune que, dans la semaine, il en mourra quelqu'une.

Adieu, mon ami. Oui. Aimez-moi comme je vous aime, et que votre devise soit : *A la vie et à la mort !* Soyez sûr qu'il y aura impossibilité morale toutes les fois que je ne remplirai pas vos désirs et vos vœux.

---

(1) Mirabeau parle de l'inoculation du vaccin, sur laquelle il avait écrit un mémoire, et que le médecin Tronchin, ainsi que nous avons déjà eu l'occasion de le dire, vulgarisa.
(2) Dame de la bourgeoisie de Genève.

SUR SON ATTITUDE
A L'ASSEMBLÉE CONSTITUANTE

AU COMTE DE LA MARK (1)

Vendredi, 22 octobre 1790.

Mon cher comte, j'ai mérité de vous de n'être jugé par vous que d'après vous-même. Avant-hier (2) je n'ai rien dit, et, certes, je pouvais parler et enlever la question, et je l'eusse fait sans l'inique amendement Montmorin. Hier je n'ai point été un démagogue, j'ai été un grand citoyen, et, peut-être, un habile orateur. Quoi ! ces stupides coquins, enivrés d'un succès de pur hasard, vous offrent tout platement la contre-révolution, et l'on croit que je ne tonnerai pas ? En vérité, mon ami, je n'ai nulle envie de livrer à personne mon honneur, et à la cour ma tête. Si je n'étais que politique, je dirais : « J'ai besoin que ces gens-là me craignent. » Si j'étais leur homme, je dirais : « Ces gens-là ont besoin de me craindre. » Mais je suis un bon citoyen qui aime la gloire, l'honneur et la liberté avant tout, et, certes, messieurs du rétrograde me trouveront toujours prêts à les foudroyer. Hier (3), j'ai pu les faire massacrer ; s'ils continuaient sur cette piste, ils me forceraient à le vouloir, ne fût-ce que pour le salut du petit nombre d'honnêtes gens d'entre eux. En un mot, je suis l'homme du rétablissement de l'ordre, et non d'un rétablissement de l'ancien ordre. Vous avez une manière très simple de vous tirer de l'embarras dont vous me parlez, et que je ne comprends pas bien ; c'est de montrer mon billet. *Vale et me ama.*

---

(1) Le comte de la Mark (1753-1833) député de la Flandre française aux États généraux ; intermédiaire entre la Cour et Mirabeau.
(2) Ce jour-là, 20 octobre, l'Assemblée avait discuté la motion qui demandait au roi le renvoi des ministres.
(3) Ce jour-là, 21 octobre, l'assemblée avait discuté une motion tendant à substituer sur les vaisseaux le drapeau tricolore au drapeau blanc ; Mirabeau avait parlé en faveur du drapeau tricolore, qui fut adopté.

Madame du Deffand

Marie de Vichy-Chamrond naquit très probablement en 1697, et très probablement aussi au château de Chamrond, près de Charolles. Malgré l'accord à peu près unanime de ses biographes, la certitude n'est pas faite sur ces deux points. Elle fut élevée au couvent de la Madeleine du Traisnel, à Paris ; l'excellente éducation qu'elle y reçut développa les brillantes qualités de son esprit. Le 2 août 1718 elle épousa M. de la Lande, marquis du Deffand, brigadier des armées du roi. Cette union ne fut pas heureuse ; après quelques années les deux époux se séparèrent. Mme du Deffand était gaie, coquette, légère ; elle fit les délices de la cour de Sceaux ; elle y rencontra des personnes d'esprit et des écrivains avec qui elle se lia ; l'hiver elle eut son salon à Paris ; on y voyait Montesquieu, d'Alembert ; des politiques : Choiseul, Brienne, Broglie ; puis des amis plus chers : Pont de Veyles, Formont, et le président Hénault avec qui elle entretint un commerce intime, « quasi conjugal » dit M. de Lescure, commerce qui ne causa aucun scandale et qui fut consacré « par une tolérance semblable à de l'estime ».

En 1747, Mme du Deffand s'installa au couvent de Saint-Joseph, rue Saint-Dominique. Désormais elle ne vécut plus que pour la société de ses amis, c'est-à-dire pour les plaisirs de la conversation. En 1754 elle devint aveugle ; elle fit venir, pour lui servir de dame de compagnie, une jeune fille orpheline, que M. de Vichy-Chamrond, son frère, avait élevée.

La nouvelle venue s'appelait Mlle de Lespinasse. Elle avait elle-même beaucoup d'esprit, et, dans le salon de sa maîtresse, elle fut bientôt remarquée. Les habitués des réunions de Mme du Deffand prirent l'habitude d'arriver un peu plus tôt et de se réunir chez Mlle de Lespinasse. Quand elle l'apprit, Mme du Deffand chassa sa rivale.

Malgré la curiosité de son esprit qui s'intéressait à tout, elle s'ennuyait ; rien ne pouvait la satisfaire ; on verra l'expression de cette détresse notamment dans ses lettres à Voltaire ; mais elle connut un jour Horace Walpole, homme politique et écrivain anglais, qui lui plut, et à qui elle voua une amitié qui, bien qu'elle eût alors soixante-dix ans, avait toutes les couleurs de l'amour.

A Horace Walpole comme à Voltaire elle a écrit de nombreuses lettres. Elles sont intéressantes et comme documents psychologiques et comme pages de littérature. La langue en est ferme, sûre, sobre, sans défaillance et sans raideur. La correspondance de Mme du Deffand forme quatre volumes, dont deux publiés par M. de Lescure, en 1865, sous le titre de *Correspondance complète de la marquise du Deffand avec ses amis* ; et deux autres publiés en 1877 par le marquis de Sainte-Aulaire sous le titre de *Correspondance complète de Mme du Deffand avec la duchesse de Choiseul, l'abbé Barthélemy et M. Craufurt.*

ARRIVÉE A FORGES (1)

A M. LE PRÉSIDENT HÉNAULT

De Forges, lundi 2 juillet 1742.

J'arrive dans l'instant à Forges sans aucun accident, et même sans une extrême fatigue : ce n'est pas que j'aie dormi cette nuit, et que nous n'ayons été bien cahotés aujourd'hui, depuis les huit heures du matin que nous sommes partis de Gisors, jusqu'à ce moment que nous arrivons ; il n'y a que que pour quinze heures de chemin de Paris à Forges. Nous fîmes hier dix-sept lieues en neuf heures de temps, et aujourd'hui onze en six heures et demie ; les chemins ne sont nulle part dangereux dans ce temps-ci, mais on conçoit aisément qu'ils sont impraticables l'hiver. Je ne mangeai hier, pour la première fois du jour, qu'à onze heures du soir : bien m'en avait pris d'avoir porté des poulardes, car nous ne trouvâmes rien à Gisors, que quelques mauvais œufs et un petit morceau de veau dur comme du fer : j'avais grand faim, je mangeai cependant peu, et je n'en ai pas mieux digéré ni dormi. Ce que je craignais n'est point encore arrivé, ainsi mon voyage s'est passé fort heureusement. Mais nous venons à un article bien plus intéressant, c'est ma compagne (2). O mon Dieu ! qu'elle me déplaît ! Elle est radicalement folle : elle ne connaît point d'heure pour ses repas ; elle a déjeuné à Gisors à huit heures du matin, avec du veau froid ; à Gournay, elle a mangé du pain trempé dans le pot, pour nourrir un Limousin, ensuite un morceau de brioche, et puis trois assez grands biscuits. Nous arrivons, il n'est que deux heures et demie, et elle veut du riz et une capilotade ; elle mange

(1) Station d'eaux minérales dans la Seine-Inférieure, arrondissement de Neufchâtel.
(2) C'était la duchesse de Pecquigny, femme du duc de Pecquigny, plus tard duc de Chaulnes. Elle était spirituelle, mais extravagante. Mme du Deffand a tracé d'elle dans une lettre du 9 juillet 1742 qu'on trouvera, ci-après un portrait, très pittoresque, très vivant, et, comme l'a dit M. de Lescure, très « curieux ».

comme un singe, ses mains ressemblent à leurs pattes ; elle ne cesse de bavarder. Sa prétention est d'avoir de l'imagination et de voir toutes choses sous des faces singulières, et comme la nouveauté des idées lui manque, elle y supplée par la bizarrerie de l'expression, sous prétexte qu'elle est naturelle. Elle me déclare toutes ses fantaisies, en m'assurant qu'elle ne veut que ce qui me convient ; mais je crains d'être forcée à être sa complaisante ; cependant je compte bien que cela ne s'étendra pas sur ce qui intéressera mon régime. Elle est avare et peu étendue, elle me paraît glorieuse, enfin elle me déplaît au possible. Elle comptait tout à l'heure s'établir dans ma chambre pour y faire ses repas, mais je lui ai dit que j'allais écrire : je l'ai priée de faire dire à Mme La Roche les heures où elle voulait manger et ce qu'elle voudrait manger, et où elle voulait manger ; et que pour moi je comptais avoir la même liberté ; en conséquence, je mangerai du riz et un poulet à huit heures du soir.

Notre maison est jolie, ma chambre assez belle, et mon lit et mon fauteuil me consoleront de bien des choses. Voilà tout ce que je peux vous mander aujourd'hui.

PORTRAIT DE MADAME DE PECQUIGNY

AU MÊME

9 juillet [1742].

La Pecquigny n'est d'aucune ressource, et son esprit est comme l'espace : il y a étendue, profondeur, et peut-être toutes les autres dimensions que je ne saurais dire, parce que je ne les sais pas ; mais cela n'est que du vide pour l'usage. Elle a tout senti, tout jugé, tout éprouvé, tout choisi, tout rejeté ; elle est, dit-elle, d'une difficulté singulière en compagnie, et cependant elle est toute la journée avec toutes nos petites madames à jaboter comme une pie. Mais ce n'est pas cela qui me déplaît en elle : cela m'est commode dès aujourd'hui, et cela me sera très agréable sitôt que Formont sera arrivé. Ce qui m'est insupportable, c'est le dîner : elle a l'air d'une folle en mangeant ; elle dépèce une poularde dans le plat où on la sert, ensuite elle la met dans un autre, se fait apporter du bouillon pour mettre dessus, tout semblable à celui qu'elle rend, et puis elle prend un haut d'aile, ensuite le corps dont elle ne mange que la moitié ; et puis elle ne veut pas que l'on retourne le veau pour couper un os, de peur qu'on n'amollisse la peau ; elle coupe un os avec toute la peine possible, elle le ronge à demi, puis retourne à sa poularde : cela dure deux heures. Elle a sur son assiette des morceaux d'os rongés, de peaux sucées, et pendant ce temps, ou je m'ennuie à la mort, ou je mange plus qu'il ne faudrait. C'est une curiosité de lui voir manger un biscuit ; cela dure une demi-heure, et le total c'est qu'elle mange comme un loup : il est vrai qu'elle fait un exercice enragé. Je suis fâchée que vous ayez de commun avec elle l'impossibilité de rester une minute en repos. Enfin voulez-vous que je vous le dise ? elle est on ne peut pas moins aimable : elle a sans doute de l'esprit ; mais tout cela est mal digéré, et je ne crois pas qu'elle vaille jamais davantage. Elle est aisée à vivre ; mais je la défierais d'être difficile avec moi : je me soumets à toutes ses fantaisies parce qu'elles ne me font rien ; notre union présente n'aura nulle suite pour l'avenir. Si je n'avais pas l'occupation de vous écrire, je m'ennuierais à la mort ; mais cela remplit une bonne partie de la journée, et me voilà tout accoutumée à me coucher de bonne heure. Je crois avoir fait un excès quand dix heures et demie me surprennent debout.

SCEPTICISME

A VOLTAIRE

Paris, 14 janvier 1766.

Je n'ai vu ni votre érudition, ni vos lumières, mais mes opinions n'en sont pas moins conformes aux vôtres. A la vérité, il ne me paraît pas de la dernière importance que tout le monde pense de même. Il serait fort avantageux que tous ceux qui gouvernent, depuis les rois jusqu'au dernier bailli de village, n'eussent pour principe et pour système que la plus saine morale, elle seule peut rendre les hommes heureux et tolérants. Mais le peuple connaît-il la morale ? J'entends par le peuple le plus grand nombre des hommes. La cour en est pleine ainsi que la ville et les champs. Si vous ôtez à ces sortes de gens leur préjugé, que leur restera-t-il ? C'est leur ressource dans leur malheur (et c'est en quoi je voudrais leur ressembler) : c'est leur bride et leur frein dans leur conduite, et c'est ce qui doit faire désirer qu'on ne les éclaire pas ; et puis pourrait-on les éclairer ? Toute personne qui parvenue à l'âge de raison n'est pas choquée des absurdités et n'entrevoit pas la vérité, ne se laissera jamais instruire ni persuader. Qu'est-ce que la foi ? C'est de croire fermement ce que l'on ne comprend pas. Il faut laisser le don du ciel à qui il l'a accordé. Voilà en gros ce que je pense ; si je causais avec vous, je me flatte que vous ne penseriez pas que je préférasse les charlatans aux bons médecins. Je serai toujours ravie de recevoir de vous des instructions et des recettes ; donnezm'en contre l'ennui, voilà de quoi j'ai besoin. La recherche de la vérité est pour vous la médecine universelle ; elle l'est pour moi aussi, non dans le même sens qu'elle est pour vous ; vous croyez l'avoir trouvée, et moi je crois qu'elle est introuvable. Vous voulez faire entendre que vous êtes persuadé de certaines opinions que l'on avait avant Moïse, et que lui n'avait point, ou du moins qu'il n'a pas transmises. De ce que des peuples ont eu cette opinion, en devient-elle plus claire et plus vraisemblable ? Qu'importe qu'elle soit vraie ? Si elle l'était, serait-ce une consolation ? J'en doute fort. Ce n'en serait pas une de moins pour ceux qui croient qu'il n'y a qu'un malheur, celui d'être né.

PESSIMISME

AU MÊME

Paris, 28 février 1766.

Vos lettres, et surtout la dernière, me font faire une réflexion. Vous croyez donc qu'il y a des vérités que vous ne connaissez pas et qu'il est important de connaître ? Vous pensez donc qu'il ne suffit pas de savoir ce qui n'est pas, puisque vous cherchez à savoir ce qui est ? Vous pensez apparemment que cela est possible, pensez-vous que cela soit nécessaire ? Voilà ce que je vous supplie de me dire. Je me

suis figuré jusqu'à présent que nos connaissances étaient
bornées au pouvoir, aux facultés et à l'étendue de nos
sens ; je sais que nos sens sont sujets à l'illusion, mais
quel autre guide peut-on avoir ? Dites-moi très clairement
quel penchant ou quel motif vous entraîne aux recherches
qui vous occupent ? Est-ce la simple curiosité, et comment
ce seul sentiment peut-il vous garantir de tous les objets
qui vous environnent ? Quelque puérils qu'ils soient par
eux-mêmes, il est naturel que nous en soyons plus affectés
que d'idées vagues qui sont pour nous le chaos, ou même le
néant. Pour moi, monsieur, je l'avoue, je n'ai qu'une pensée
fixe, qu'un sentiment, qu'un chagrin, qu'un malheur, c'est la
douleur d'être née ; il n'y a point de rôle qu'on puisse jouer
sur le théâtre du monde auquel je ne préférasse le néant, et
ce qui vous paraîtra bien inconséquent, c'est que quand
j'aurais la dernière évidence d'y devoir rentrer, je n'en aurais
pas moins d'horreur pour la mort. Expliquez-moi à moi-même,
éclairez-moi, faites-moi part des vérités que vous découvrirez ;
enseignez-moi le moyen de supporter la vie, ou d'en voir la
fin sans répugnance. Vous avez toujours des idées claires et
justes ; il n'y a que vous avec qui je voudrais raisonner ;
mais malgré l'opinion que j'ai de vos lumières, je serai fort
trompée si vous pouvez satisfaire aux choses que je vous
demande.

JEAN-JACQUES ROUSSEAU

A MADAME LA DUCHESSE DE CHOISEUL

Paris, ce mardi 29 juillet 1766.

Il est impossible d'être plus d'accord avec vous que je ne le
suis sur les jugements que vous portez sur Jean-Jacques ; son
esprit est faux ; l'éloquence qu'on ne peut lui refuser est fati-
gante, et fait sur l'esprit l'effet qu'une musique pleine de
dissonances ferait sur les oreilles. C'est un Comus ; il vous
présente la vertu, vous croyez la tenir, vous la suivez et il se
trouve que c'est le vice qu'il vous a prêché. C'est un fou, et je
ne serais pas étonnée qu'il commît exprès des crimes qui ne
l'aviliraient pas, mais qui le conduiraient à l'échafaud, s'il

croyait augmenter sa célébrité. Je hais trop tout ce qui est faux pour avoir la moindre considération pour ce personnage. Je n'ai pas lu tous ses ouvrages, mais je ne relirai jamais ceux que j'ai lus, et je ne lirai jamais les autres. J'estime et j'aime trop le style de Voltaire pour goûter celui de Jean-Jacques ; la justesse, la facilité, la clarté et la chaleur, voilà les quatre qualités qui font le style. Rousseau a de la clarté, mais c'est celle des éclairs ; il a de la chaleur, mais c'est celle de la fièvre.

VANITÉ DE LA RAISON

A HORACE DE WALPOLE

Paris, samedi 23 mai 1767.

Vous voulez que j'espère vivre quatre-vingt-dix ans ? Ah ! bon Dieu, quelle maudite espérance ! Ignorez-vous que je déteste la vie, que je me désole d'avoir tant vécu, et que je ne me console point d'être née ? Je ne suis point faite pour ce monde-ci ; je ne sais pas s'il y en a un autre ; en cas que celui-ci soit, quel qu'il puisse être je le crains. On ne peut être en paix ni avec les autres, ni avec soi-même ; on mécontente tout le monde : les uns, parce qu'ils croient qu'on ne les estime ni ne les aime pas assez, les autres par la raison contraire ; il faudrait se faire des sentiments à la guise de chacun, ou du moins les feindre, et c'est ce dont je ne suis pas capable ; on vante la simplicité et le naturel, et on hait ceux qui le sont ; on connaît tout cela, et malgré tout cela on craint la mort, et pourquoi la craint-on ? Ce n'est pas seulement par l'incertitude de l'avenir, c'est par une grande répugnance qu'on a pour sa destruction, que la raison ne saurait détruire. Ah ! la raison, la raison ! Qu'est ce que c'est que la raison ? Quel pouvoir a-t-elle ? Quand est-ce qu'elle parle ? Quand est-ce qu'on peut l'écouter ? Quel bien procure-t-elle ? Elle triomphe des passions ? cela n'est pas vrai ; et si elle arrêtait les mouvements de notre âme, elle serait cent fois plus contraire à notre bonheur que les passions ne peuvent l'être ; ce serait vivre pour sentir le néant, et le néant (dont je fais grand cas) n'est bon que parce qu'on ne le sent pas. Voilà de la métaphysique à quatre deniers, je vous en demande très humblement pardon ; vous êtes en droit de me dire : « Contentez-vous de vous ennuyer, abstenez-vous d'ennuyer les autres. » Oh ! vous avez raison ; changeons de conversation.

DÉGOÛT DE LA VIE

AU MÊME

Paris, samedi 1ᵉʳ avril 1769.

Adieu. J'ai mal à la tête, des douleurs dans les entrailles, je me sens très échauffée ; cela ne me fait rien. Il me semble que je suis toute prête à faire mon paquet et à partir. Cette disposition me vient peut-être de ce que j'en suis encore bien loin ; tout comme on voudra.

Dites-moi pourquoi, détestant la vie, je redoute la mort (1) ? Rien ne m'indique que tout ne finira pas avec moi ; au contraire je m'aperçois du délabrement de mon esprit, ainsi que de celui de mon corps. Tout ce qu'on dit pour ou contre ne me fait nulle impression. Je n'écoute que moi, et je ne trouve que doute et qu'obscurité. *Croyez*, dit-on, *c'est le plus sûr* ; mais comment croit-on ce que l'on ne comprend pas ? Ce que l'on ne comprend pas peut exister sans doute ; aussi je ne le nie pas ; je suis comme un sourd et un aveugle-né ; il y a des sons, des couleurs, il en convient ; mais sait-il de quoi il convient ? S'il suffit de ne point nier, à la bonne heure, mais cela ne suffit pas. Comment peut-on se décider entre un commencement et une éternité, entre le plein et le vide ? Aucun de mes sens ne peut me l'apprendre ; que peut-on apprendre sans eux ? Cependant, si je ne crois pas ce qu'il faut croire, je suis menacée d'être mille et mille fois plus malheureuse après ma mort que je ne le suis pendant ma vie. A quoi se déterminer, et est-il possible de se déterminer ? Je vous le demande, à vous qui avez un caractère si vrai, que vous devez, par sympathie, trouver la vérité, si elle est trou-

(1) « Ce passage et quelques autres de la même amère vigueur sont la confession psychologique de Mme du Deffand. C'est son âme écrite. » (De Lescure.)

vable. C'est des nouvelles de l'autre monde qu'il faut m'apprendre, et me dire si nous sommes destinés à y jouer un rôle.

Je fais mon affaire de vous entretenir de ce monde-ci. D'abord je vous dis qu'il est détestable, abominable, etc. Il y a quelques gens vertueux, du moins qui peuvent le paraître, tant qu'on n'attaque point leur passion dominante, qui est pour l'ordinaire, dans ces gens-là, l'amour de la gloire et de la réputation. Enivrés d'éloges, souvent ils paraissent modestes ; mais le soin qu'ils prennent pour les obtenir en décèle le motif, et laisse entrevoir la vanité et l'orgueil. Voilà le portrait des plus gens de bien. Dans les autres sont l'intérêt, l'envie, la jalousie, la cruauté, la méchanceté, la perfidie. Il n'y a pas une seule personne à qui on puisse confier ses peines, sans lui donner une maligne joie et sans s'avilir à ses yeux. Raconte-t-on ses plaisirs et ses succès ? on fait naître la haine. Faites-vous du bien ? la reconnaissance pèse, et trouve des raisons pour s'en affranchir. Faites-vous quelques fautes ? Jamais elles ne s'effacent ; rien ne peut les réparer. Voyez-vous des gens d'esprit ? Ils ne seront occupés que d'eux-mêmes ; ils voudront vous éblouir et ne se donneront pas la peine de vous éclairer. Avez-vous affaire à de petits esprits ? Ils sont embarrassés de leur rôle ; ils vous sauront mauvais gré de leur stérilité et de leur peu d'intelligence. Trouve-t-on, au défaut de l'esprit, des sentiments ? Aucuns, ni de sincères, ni de constants. L'amitié est une chimère ; on ne reconnaît que l'amour ; et quel amour ! Mais en voilà assez, je ne veux pas porter plus loin mes réflexions ; elles sont le produit de l'insomnie ; j'avoue qu'un rêve vaudrait mieux.

L'ENNUI

AU MÊME

Paris, samedi 10 janvier 1771.

Votre amitié, vos attentions, sont un puissant spécifique contre mes chagrins. On n'est point isolé quand on a un véritable ami, fût-il à mille lieues, dût-on ne le jamais revoir.

Vous me faites espérer que, s'il n'y a point de guerre, vous viendrez ici ; vous serez bien étonné si je vous exhorte à n'en rien faire ; c'est cependant le conseil que je vous donne. C'est pour vous une grande fatigue ; vous craignez le passage, les mauvais gîtes de la route, le logement des hôtels garnis, l'ennui du séjour. C'est acheter bien cher le plaisir d'un moment ; je ne veux point que vous mettiez en compte celui que vous me ferez, et puis ne sera-t-il pas suivi d'une bien grande douleur, quand il faudra se séparer pour toujours ? car je ne me flatte pas qu'il puisse être suivi d'un autre ; deux ans d'intervalle est tout ce qu'il peut y avoir entre ma vie et le dernier de tous les voyages. Voilà ce que la raison me dit, je veux l'écouter et la croire ; mais cependant quel bien cette raison nous fait-elle ? Elle éteint ou amortit tous les senti- ments naturels, et met à la place des idées qui nous sont toujours étrangères, qui ne s'insinuent jamais véritablement dans notre âme, qui nous font dire en bâillant que nous sommes heureux. J'honore la raison puisqu'il le faut, mais elle ne fait pas tant de bien qu'on s'imagine ; je ne sais si elle rend estimable, mais je sais bien que quand elle est domi- nante, elle ne rend pas aimable. Voilà une dissertation des plus fastidieuses ; c'est la suite et l'effet des froides réflexions que la raison me fait faire ; j'ai envie de la laisser là, de changer de note et de vous dire tout naturellement : Venez me voir, mon cher ami, tout le plus tôt que vous pourrez ; choisissez le plus beau temps et le moment où vous vous porterez le mieux.

SUR LA VIEILLESSE

AU MÊME

Dimanche 27 janvier [1771],
à deux heures après midi.

C'est une antipathie naturelle que j'ai pour les croisades, et cela dès mon enfance. Je hais don Quichotte, et les histoires de fous ; je n'aime point les romans de chevalerie, ni ceux qui sont métaphysiques ; j'aime les histoires et les romans qui me peignent les passions, les crimes et les vertus dans leur naturel et leur vérité; j'aime surtout les détails des intrigues, et c'est ce qui fait que je préfère infiniment les *Mémoires* et les *Vies* particulières aux histoires générales. Mais je ne vous ai point dit mon dernier mot sur celle de Malte. Le siège de Rhodes m'a fait plaisir et m'a fort intéressée. Il faut nous faire un aveu; mon esprit s'affaiblit, se fatigue, se lasse; je n'ai plus de mémoire; je ne suis plus capable d'application; il n'y a presque plus rien qui m'intéresse; je suis dégoûtée de tout; il me semble qu'on n'est point née pour vieillir; c'est une cruauté de la nature de nous y condamner; je commence à trouver mon état insupportable. J'ai eu des chats, des chiens qui sont morts de vieillesse, et se cachaient dans les trous; ils avaient raison. On n'aime point à se produire, à se laisser voir, quand on est un objet triste et désagréable. Cependant il faut de la dissipation, et je peux m'en passer moins qu'un autre; mais comme je ne veux point faire traîner dans le monde et fatiguer les autres, j'ai pris le parti de ne jamais faire de visites. Je reste dans mon tonneau (c'est l'équivalent des coins et des trous de mes chiens et chats); jusqu'à présent, il n'est pas de mauvais air de m'y venir chercher; le temps arrivera qu'il n'y aura que les désœuvrés qui prendront cette peine. Pour prévenir cette honte, je rassemble autant que je puis ce que nous appelons la bonne compagnie. De temps en temps, il me prend des dégoûts pour celui-ci, pour celle-là, mais je me contrains et je me dis : Qui sont ceux qui valent mieux? Les seuls que j'excepterais sont bien loin de moi et vraisemblablement pour toute ma vie. Voilà des idées tristes qui vous désolent, et ne vous invitent pas à sortir de chez vous. Je tombe toujours dans l'inconvénient de vous parler de moi, et j'ai d'autant plus tort que je n'ignore pas combien cela vous ennuie.

SUR LES LETTRES DE BUSSY-RABUTIN

AU MÊME

Vendredi 7 février 1772.

Je vais pourtant vous rendre compte de ce que je fais. Pour fuir l'ennui, je me dissipe autant que je peux, je soupe rarement chez moi ; je vais de côté et d'autre, je lis toutes sortes de livres, je n'en trouve presque point qui me plaisent ; celui qui me fait le plus de plaisir actuellement, ce sont les *Lettres de Bussy* (Rabutin) ; vous allez vous récrier : tout le monde s'en est dégoûté et n'en a porté de jugement que sur celles qu'il écrit au roi. Je ne lis point celles-là, et je hausse les épaules en lisant celles de Mme de Scudéri ; je n'imagine pas que vous trouvez que les miennes leur ressemblent, et ce qui me le persuade le plus, c'est que les réponses de Bussy ressemblent beaucoup à celles que vous me faites. Pour vous le prouver, vous n'avez qu'à lire la cent quatre-vingt-neuvième du tome cinquième, page deux cent-soixante-dix-neuf, je veux mourir si vous ne trouvez pas une parfaite ressemblance ! Je conviens que cette Mme de Scudéri est insupportable, et qu'elle quête de l'amitié comme on demande l'aumône. Quoiqu'elle ait de l'esprit, son style est si fade, si ennuyeux, si languissant, que j'admire la patience de Bussy d'avoir entretenu une telle correspondance : belle matière à réflexion ! Mais presque toutes les autres lettres sont charmantes. Dans les deux premiers volumes, il n'y a que sa correspondance avec Mme de Sévigné, et je conviens que les lettres de celle-ci sont encore plus agréables que celles de son cousin. Dans les cinq autres volumes, celles de Mme de Montmorency sont très agréables, celles du père Rapin, de Benserade et de beaucoup d'autres me paraissent très bonnes, et les réponses de Bussy encore meilleures ; les jugements qu'il porte de tous les ouvrages qui paraissent me semblent excellents. Je vous prie encore d'avoir la complaisance de lire une lettre de Mme de Sévigné : c'est la quarante-troisième du second tome, page cent quatre. Le commencement n'est rien ; c'est vers la fin qu'elle fait l'éloge d'un évêque

d'Autun. Je ne crois pas qu'il y ait rien de plus agréable. Si
vous avez des moments perdus, relisez ce recueil de lettres,
passez celles au roi et celles de Mme de Scudéri, et si l'on
peut se bien juger soi-même, vous conviendrez que vous avez
beaucoup du style de Bussy. Vous en avez la vérité, le déli-
béré, le bon goût, mais vous n'en avez pas la vanité, que je
lui pardonne en faveur de cette vérité que j'aime tant, et à
qui la modestie donne quelques petites entorses.

Peut-être vous moquerez-vous de cette analyse ; en ce cas,
je n'en ferai plus à l'avenir. Je serais fâchée d'être réduite à
ne faire que des gazettes, ou à ne parler que de la pluie et
du beau temps. Je ne sais jamais le temps qu'il fait, je sais
peu ce qui se passe ; peut-être conclurez-vous qu'il ne me reste
qu'un parti à prendre, celui de ne point écrire ; si c'est votre
avis, il faut le dire.

MLLE DE LESPINASSE

Julie-Jeanne-Éléonore de Lespinasse naquit à Lyon le 18 novembre 1732. Elle fut élevée d'abord auprès de la comtesse d'Albon, dont elle était la fille illégitime, puis, après la mort de sa mère survenue vers 1747, auprès de M. et de Mme de Vichy-Chamrond, Mme de Vichy étant la sœur du comte d'Albon, et M. de Vichy le frère de Mme du Deffand. Nous avons dit (1) comment celle-ci attira Mlle de Lespinasse chez elle comme lectrice, et dans quelles circonstances elle la chassa.

Mlle de Lespinasse eut alors son salon rue Saint-Dominique, tout près de celui de la marquise. La société y fut toujours nombreuse. « Nommer tous ceux qui fréquentèrent le salon de Mlle de Lespinasse, dit M. Eugène Asse, serait passer en revue ce que, de 1764 à 1776, la France eut de plus illustre dans tous les genres. » On y rencontrait notamment : Turgot, Voltaire, Condorcet, Loménie de Brienne, neveu pourtant de Mme du Deffand, Condillac, La Harpe, Suard, l'abbé Galiani, et surtout d'Alembert, le plus fervent de ses admirateurs, qui devint bientôt son ami et presque son mari ; ils habitèrent alors, non pas ensemble, mais dans la même maison ; ainsi les apparences étaient sauvegardées.

Mlle de Lespinasse, cette créature de passion, n'eut pas de passion pour d'Alembert ; mais elle avait aimé ardemment le

(1) Notice sur Mme du Deffand.

marquis de Mora, puis le comte de Guibert. Ce furent des amours douloureuses ; le comte de Guibert ne lui fit jamais oublier le marquis de Mora et elle souffrait à la fois de l'indifférence de l'un et du regret d'avoir perdu l'autre. On verra par quelques-unes de ses lettres quel était le trouble de son âme. Quant à son esprit, il était élégant, facile, précis, naturel et souriant. Chez elle on ne soupait pas, on ne faisait que causer et jamais ne manquèrent ni les sujets de causerie ni les causeurs.

Sa correspondance comprend : les *Lettres de Mlle de Lespinasse*, publiées par M. E. Asse, et les *Lettres inédites de Lespinasse* à d'Alembert et Condorcet, publiées par M. Ch. Henry.

LA TRISTESSE DE VIVRE

A CONDORCET

Mardi 19 octobre 1773.

Vous êtes trop aimable d'avoir eu de l'inquiétude de ma santé ; elle vient de recevoir une secousse un peu violente : il m'en est resté une faiblesse, un état de défaillance habituelle qui ne me laisse que la force de former un souhait, c'est de pouvoir achever de vivre ou de mourir, et je le mets à croix ou pile.

Je n'entends pas, bon Condorcet, pourquoi la vie vous paraît aussi pesante qu'à moi ; mais soit que ce sentiment soit fondé ou non, je suis fâchée qu'il soit dans votre âme. Avec de grands talents, beaucoup d'activité, une assez bonne santé, beaucoup d'amis, une fortune honnête, comment arrive-t-il que vous soyez à mon ton sur le dégoût de cette triste vie ? Moi, qui n'ai connu que la douleur et la souffrance, moi, qui ai été victime de la méchanceté et de la tyrannie pendant dix ans, moi enfin, qui suis sans fortune, qui ai perdu ma santé et qui n'ai éprouvé que des atrocités des gens de qui je devais attendre du soulagement, et qui, par une singularité inouïe, ai eu une enfance agitée par le soin même qu'on a pris d'exercer et d'exalter ma sensibilité, je connaissais la terreur, l'effroi, avant que d'avoir pu penser et juger. Voyez, bon Condorcet, si je suis fondée dans mon peu d'attache pour la vie, et si mon dégoût pour tout ce que les hommes chérissent, les plaisirs de dissipation et de vanité, ne peut pas se justifier. Je ne connais qu'un plaisir, je n'ai eu qu'un intérêt, celui de l'amitié ; cela me soutient et me console ; mais plus souvent j'en suis déchiré. Voilà, vous parler beaucoup de moi, je vous en demanderais pardon si ce n'était pour vous prouver mon amitié.

TURGOT

A M. DE GUIBERT (1)

Ce lundi, 29 août 1774.

Vous savez que M. Turgot est contrôleur général ; mais ce que vous ne savez pas, c'est la conversation qu'il a eue à ce sujet avec le Roi. Il avait eu quelque peine à accepter le contrôle, quand M. de Maurepas le lui proposa de la part du Roi. Lorsqu'il alla remercier le Roi, le Roi lui dit : *Vous ne vouliez donc pas être contrôleur général ? Sire*, lui dit M. Turgot, *j'avoue à Votre Majesté que j'aurais préféré le ministère de la marine, parce que c'est une place plus sûre et où j'étais plus certain de faire le bien ; mais dans ce moment-ci ce n'est pas au Roi que je me donne, c'est à l'honnête homme.* Le Roi lui prit les deux mains et lui dit : *Vous ne serez point trompé.* M. Turgot ajouta : *Sire, je dois représenter à Votre Majesté la nécessité de l'économie, dont elle doit la première donner l'exemple : M. l'abbé Terrai l'a sans doute déjà dit à Votre Majesté. Oui*, répondit le Roi, *il me l'a dit, mais il ne l'a pas dit comme vous.* Tout cela est comme si vous l'aviez entendu, parce que M. Turgot n'ajoute pas un mot à la vérité. Ce mouvement de l'âme de la part du Roi fait toute l'espérance de M. Turgot ; et je crois que vous en prendriez comme lui. — M. de Vaines (2) est nommé à la place de M. Leclerc ; mais il n'en aura pas le faste : point de jeu, point de valet de chambre, point d'audience, en un mot, la plus grande simplicité, c'est-à-dire, au ton de M. Turgot.

---

(1) Jacques-Antoine Hippolyte, comte de Guibert (1743-1775). Il a composé quelques tragédies, dont l'une surtout, *le Connétable de Bourbon*, obtint dans les salons des succès de lecture et quelques éloges, entre autres celui de Catinat. Il a écrit aussi un *Essai général de tactique*. Voltaire disait de lui : « M. de Guibert veut aller à la gloire par tous les chemins. » Il ne la rencontra pas ; mais il eut l'admiration et bientôt l'amour ardent de Mlle de Lespinasse, qu'il fit souffrir par sa froideur.

(2) M. Jean de Vaines était un ami à la fois de Mlle de Lespinasse et de Turgot. Il remplaça M. Leclerc dans l'emploi de premier commis des finances.

SUR ELLE-MÊME

AU MÊME

Commencée jeudi, 22 septembre 1774.

« Donnez-moi tous les noms destinés aux parjures ;
« Je crains votre silence, et non pas vos injures (1).»

Mon ami, si j'avais de la passion, votre silence me ferait mourir ; et si je n'avais que de l'amour-propre, il me blesserait, et je vous en haïrais de toutes mes forces : eh bien ! je vis, et je ne vous hais plus. Mais je ne vous cacherai pas que j'ai vu, avec chagrin, quoique sans étonnement, que c'était uniquement mon mouvement qui vous entraînait : vous aviez à me répondre. Vous ne savez plus me parler ; et, lorsque vous croyez que mon sentiment a cessé, vous ne sentez aucun regret, et vous ne trouvez rien en vous qui vous donne le droit de réclamer ce que vous avez perdu. Eh bien, mon ami, je suis assez calme pour être juste : j'approuve votre conduite, quoiqu'elle m'afflige ; je vous estime de ne rien mettre à la place de la vérité. Et en effet, de quoi vous plaindriez-vous ? je vous ai soulagé : il est affreux d'être l'objet d'un sentiment qu'on ne peut pas partager ; l'on souffre et l'on rend malheureux : aimer et être aimé, c'est le bonheur du ciel ; quand on l'a connu et qu'on l'a perdu, il ne reste qu'à mourir.

Il y a deux choses dans la nature qui ne souffrent pas la médiocrité, les vers et... Mais je ne m'abuse point, le sentiment que j'avais pour vous n'était point parfait. D'abord j'avais à me le reprocher : il me coûtait des remords ; et puis, je ne sais si c'était le trouble de ma conscience qui renversait mon âme, et qui avait absolument changé ma manière d'être et d'aimer : mais j'étais sans cesse agitée de sentiments que je condamnais ; je connaissais la jalousie, l'inquiétude, la défiance ; je vous accusais sans cesse ; je m'imposais la loi de ne pas me plaindre : mais cette contrainte m'était affreuse ; enfin, cette manière d'aimer était si étrangère à mon âme, qu'elle en faisait le tourment. Mon ami, je vous aimais trop,

---

(1) *Andromaque*, acte IV, scène V.

et pas assez ; ainsi nous avons gagné tous les deux au changement qui est arrivé en moi : et ce n'est ni votre ouvrage ni le mien. J'ai vu clair un moment, et dans moins, d'une demi-heure, j'ai senti le dernier terme de la douleur, je me suis éteinte, et j'ai ressuscité ; et ce qui est inconcevable, c'est qu'en revenant à moi, je n'ai plus retrouvé que M. de Mora.... L'affaissement qui était arrivé à mon cerveau en avait effacé toute autre trace. Vous, mon ami, qui, un quart d'heure avant, remplissiez toute ma pensée, j'ai passé plus de vingt-quatre heures sans que vous vous y soyez présenté une seule fois ; et puis j'ai vu que mon sentiment n'était plus qu'un souvenir. J'ai resté plusieurs jours sans retrouver la force de souffrir, ni d'aimer ; et puis j'ai enfin repris ce degré de raison qui fait apprécier tout à peu près à sa juste valeur, et qui me fait sentir que, si je n'ai plus de plaisir à espérer, il me reste bien peu de malheur à craindre. J'ai retrouvé le calme, mais je ne m'y trompe point : c'est le calme de la mort ; et dans quelque temps, si je vis, je pourrai dire comme cet homme qui vivait seul depuis trente ans, et qui n'avait lu que Plutarque ; on lui demandait comment il se trouvait : *Mais presque aussi heureux que si j'étais mort.* Mon ami, voilà ma disposition : rien de ce que je vois, de ce que j'entends, ni de ce que je fais, ni de ce que j'ai à faire ne peut animer mon âme d'un mouvement d'intérêt ; cette manière d'exister m'était tout à fait inconnue ; il n'y a qu'une chose dans le monde qui me fasse du bien, c'est la musique : mais c'est un bien qu'un autre appellerait douleur. Je voudrais entendre dix fois par jour cet air qui me déchire, et qui me fait jouir de tout ce que je regrette :

J'ai perdu mon Eurydice, etc.

Je vais sans cesse à *Orphée* (1), et j'y suis seule. Mardi encore, j'ai dit à mes amis que j'allais faire des visites, et j'ai été m'enfermer dans une loge.

(1) De Gluck. — Dans une autre lettre elle écrit : «... J'étais si triste, je venais d'*Orphée*. Cette musique me rend folle, elle m'entraîne ; je n'y puis plus manquer un jour : mon âme est avide de cette espèce de douleur. »

SUR SA SENSIBILITÉ

AU MÊME

1774.

Ah ! mon ami, cette mobilité d'âme que vous me reprochez, et dont je conviens, ne me sert que lorsque je vous vois. C'est elle qui fait que toute ma vie n'est plus que dans un point : je vis en vous, et par vous ; mais d'ailleurs savez-vous à quoi sert cette mobilité ? à me faire éprouver dans une heure tous les genres de tourments qui peuvent déchirer et abattre l'âme. Oui, cela est vrai : je sens quelquefois les angoisses, le découragement de la mort, et dans le même instant, les convulsions du désespoir. Cette mobilité est un secret de la nature pour faire vivre avec plus de force en un jour, que le commun des hommes n'a vécu en mourant à cent ans. Il est vrai que cette même mobilité, qui n'est qu'une malédiction de plus dans le malheur, est quelquefois la source de beaucoup de plaisirs dans une disposition calme : c'est peut-être même un moyen d'être aimable, parce que c'est une manière de faire jouir la vanité, et de flatter l'amour-propre. Cent fois j'ai senti que je plaisais par l'impression que je recevais des agréments et de l'esprit des personnes avec qui j'étais : et en général, je ne suis aimée que parce qu'on croit et qu'on voit qu'on me fait effet : ce n'est jamais par celui que l'on reçoit. Cela prouve tout à la fois et l'insuffisance de mon esprit et l'activité de mon âme, et il n'y a dans cette remarque ni vanité, ni modestie : c'est la vérité. Mon ami, je veux vous dire le secret de mon cœur, sur le peu d'impression que vous prétendiez que me faisait l'idée d'une séparation de quatre mois ; voici ce que je m'en promettais : d'être rendue tout entière à ma douleur, et au dégoût invincible que je me sens pour la vie. Je croyais que, lorsque mon âme ne flotterait plus entre l'espérance et le plaisir de vous voir, de vous avoir vu, elle aurait plus de force qu'il n'en faut pour me délivrer d'une vie qui ne présenterait plus que des regrets et des remords. Voilà, je vous le jure, la pensée qui m'occupe depuis près de deux mois ; et ce besoin actif et profond d'être délivrée de mes maux, m'a soutenue et me défend encore contre le chagrin que me ferait éprouver votre absence. Ne concluez point de là que je veuille vous prouver que je vous aime avec beaucoup de passion : non, mon ami ; cela prouve seulement que je tiens vivement à mon plaisir, et qu'il me donne la force de souffrir. Je vous l'ai déjà dit, ces mots sont gravés dans mon cœur, et ils prononcent mon arrêt : *vous aimer, vous voir, ou cesser d'exister.* Après cela, dites tout le mal que vous voudrez de ma sensibilité : jamais je n'ai cherché à combattre la mauvaise opinion que vous aviez de moi ; je ne vous trouve ni sévère, ni injuste. Vous seul, dans la nature, êtes en droit de me mésestimer, et de douter de la force et de la vérité de la passion qui m'a animée pendant cinq ans.

LE DÉGOUT ET LA FORCE DE VIVRE

A CONDORCET

Ce mardi au soir (septembre 1774).

J'étais toute prête à vous accuser, si je n'avais pas eu de vos nouvelles aujourd'hui. J'avais compté sur mes doigts et je trouvais qu'il n'était pas impossible que je reçusse un mot du bon Condorcet hier lundi ! Et puis quand j'ai vu l'heure de la poste passée et point de lettre, je me suis dit que cela était impossible puisque cela n'est pas. Voilà, bon, excellent Condorcet, l'espèce de confiance qu'inspire votre amitié, et c'est y répondre que d'y croire à ce point-là. Ah ! mon Dieu, non, je ne suis pas digne de vos regrets. Je ne puis plus faire éprouver qu'un plaisir aux âmes sensibles, et ce plaisir est presque ma douleur ! C'est de leur prouver qu'il y a des malheurs sans remède, sans ressource et que, lorsqu'on en est accablé, si l'on se soumet à vivre, c'est à la condition et à l'unique condition qu'on sera aimé : voilà mon remède. Oh ! il est affreux de n'avoir qu'un emploi à faire de la vie : regretter, aimer et souffrir ; je ne puis plus exister que par là. L'espérance, le désir, la dissipation, rien ne peut pénétrer jusqu'à mon âme. J'implore tour à tour la mort et l'amitié. Mais je suis cruelle de vous raconter ce que je souffre. Votre âme sensible y prendra trop de part et j'aurai à me reprocher de vous avoir affecté tristement.

MM. de Saint-Chamans et de Crillon vous ont écrit, et l'un et l'autre se trouvent heureux de vous rendre une partie du plaisir que vous leur avez procuré lorsqu'ils étaient absents. M. de Saint-Chamans n'a plus de goutte, mais il est accablé de vapeurs ; la vie a peut-être été un aussi funeste présent pour lui que pour moi, et il n'a jamais rien aimé que lui. J'en conclus qu'il vaut encore mieux être malheureux à ma manière.

J'ai aimé jusqu'à l'abnégation de moi et de tout intérêt personnel, et si j'ai dit souvent que la vie est un grand mal, j'ai senti quelquefois aussi qu'elle était un grand bien, et il ne m'échappera jamais ce souhait si commun dans la bouche des malheureux, qu'ils voudraient n'être pas nés (1). Et moi, au contraire, animée du besoin actif de mourir, je rends grâces à la nature qui m'a fait naître. Bon Condorcet, je blesse la justesse de votre raisonnement. Je vous fais voir que je suis inconséquente jusqu'à la folie ; mais avant d'être bon raisonneur, vous êtes sensible, et cela fera que vous m'entendrez et que vous serez indulgent. M. d'Alembert a déjà répété vingt fois que vous lui manquiez, et que sa journée était vide depuis qu'il ne vous voyait plus ; il vous écrira, mais c'est un si faible dédommagement ! Pour moi, je sens un redoublement de tristesse tous les jours à l'heure où je vous voyais. Je ne sais plus si c'est le mal de mon âme qui pèse sur mon estomac, ou si c'est la souffrance de celui-ci qui ajoute à ma disposition morale ; mais je me sens abîmée de douleur.

MOTS DE CATHERINE II

AU MÊME

30 octobre 1774.

A propos d'esprit, je veux vous dire un mot de la Czarine à Diderot. Ils disputaient souvent ; un jour que la dispute s'anima plus fort, la Czarine s'arrêta, en disant : « Nous voilà trop échauffés pour avoir raison ; vous avez la tête vive, moi je l'ai chaude, nous ne saurions plus ce que nous

(1) Cf. avec les lettres de Mme du Deffand du 14 janvier et du 28 février 1766 que nous avons reproduites.

dirions. — Avec cette différence, dit Diderot, que vous pourriez dire tout ce qu'il vous plairait, sans inconvénient, et que moi je pourrais manquer... — Eh, fi donc ! reprit la Czarine, est-ce qu'il y a quelque différence entre les hommes ? » Mon ami, voyez, lisez bien, et ne soyez pas aussi bête que M. d'Alembert, qui n'a vu à cela que la différence de sexe, tandis que cela n'est charmant qu'autant que c'est une souveraine qui parle à un philosophe. — Une autre fois, elle lui disait : « Je vous vois quelquefois âgé de cent ans, et souvent aussi je vous vois un enfant de douze. » Mon ami, cela est doux, cela est joli, et cela peint Diderot. Si vous aimiez un peu plus les enfants, je vous dirais que je crois avoir observé que ce qui plaît à un certain point a toujours quelque analogie avec eux : ils ont tant de grâces, tant de moelleux, tant de naturel ! Enfin, Arlequin est un composé du chat et de l'enfant, et jamais y eut-il plus de grâce ?

LA PARTIE DE CHASSE D'HENRI IV (1)

A M. DE GUIBERT

Samedi, onze heures du soir, 1774.

Je sens qu'il y a un degré de malheur qui ôte la force de supporter l'ennui : il m'est affreux de me rendre passive pour entendre des trivialités, souvent révoltantes, et presque toujours aussi bêtes que basses. Oh ! la détestable pièce ! que l'auteur est bourgeois, et qu'il a un esprit commun et borné ! que le public est bête ! que la bonne compagnie est de mauvais goût ! que je plains les malheureux auteurs qui auraient le projet d'acquérir de la réputation par le théâtre ! Si vous saviez comment ce public a applaudi ! Molière ne pourrait pas prétendre à un plus grand succès. Il n'y a de noble que les noms et les habits : l'auteur fait parler les gens de la cour et Henri IV du ton des bourgeois de la rue Saint-

(1) Comédie en trois actes de Collé. Jouée pour la première fois en 1766, reprise le 16 novembre 1774, avec un succès invraisemblable dont la raison d'ailleurs n'était pas d'ordre littéraire. Il était une conséquence de l'enthousiasme qu'avait fait naître l'avènement de Louis XVI, dont un autre témoignage est dans l'inscription : *Resurrexit* que l'on avait tracée sur le socle de la statue d'Henri IV sur le Pont-Neuf.

Denis. Il est vrai qu'il donne le même ton aux paysans. En un mot, cet ouvrage est pour moi le chef-d'œuvre du mauvais goût et de la platitude; et les gens du monde qui en parlent avec éloge me semblent des valets qui disent du bien de leurs maîtres. Mon ami, si vous êtes encore contre moi dans le jugement que vous porterez de cette comédie, j'en serai bien fâchée : mais je n'en rabattrai pas un mot, parce qu'il ne s'agit pas de savoir jusqu'à quel degré cela est bon ou mauvais ; cela m'est mortel à moi, et nous étions quatre dans la loge accablés du même ennui. En voilà bien assez, et vous trouverez que j'ai conservé l'ennuyeux de l'ennui : peut-être aussi n'aurai-je pas la cruauté de vous envoyer ma lettre ; mais en vous rendant compte de ma journée, je m'en console

SUR LES VISITES

A JEAN DEVAINES (1)

Ce lundi au soir, 23 octobre [1775].

Ah ! mon Dieu, la plate, la sotte, la vide chose que de faire des visites, monsieur ! J'ai perdu le courant en ne vivant plus dans le monde, et en n'écoutant que des gens d'esprit. Je ne puis pas exprimer à quel point je suis abêtie et éteinte de toutes les sottises que j'ai entendues dire aujourd'hui. Non, cela est incroyable, ce que la vanité, la méchanceté et surtout la frivolité rendent les gens de ce pays-ci ! Non, il n'y a pas moyen d'y tenir : ils jugent les hommes, les choses, ils dénigrent la vertu, ils parlent administration, ils savent toutes les fautes qu'a faites et que fera M. Turgot ; M. de Malesherbes n'a que de l'esprit et ce n'est pas cela qu'il faut. « Hélas ! ai-je dit à la fin, ne pouvant plus respirer, je ne sais si l'esprit est inutile dans le ministère, mais il me semble qu'il serait bien nécessaire dans la société. » Ils ne m'ont pas entendue, et tous à la fois disaient du haut de leur tête : « C'est ce qui fait que M. de Malesherbes est si aimable en société. » Je me suis en allée, en me disant, d'après ce que je venais d'absorber : les femmes ont plus de sottise que les hommes, mais les hommes sont plus sots que les femmes. Et je me fais fort de prouver cette vérité.

(1) Voy. p. 132, n. 2.

LA MORT PROCHAINE

A M. DE GUIBERT

Quatre heures, 1776.

Vous êtes trop bon, trop aimable, mon ami. Vous voudriez
ranimer, soutenir une âme qui succombe enfin sous le poids
et la durée de la douleur. Je sens tout le prix de votre sentiment ; mais je ne le mérite plus. Il a été un temps où être
aimé de vous ne m'aurait rien laissé à désirer. Hélas ! peut-
être cela eût-il éteint mes regrets, ou du moins en aurait
adouci l'amertume ; j'aurais voulu vivre. Aujourd'hui je ne
veux plus que mourir. Il n'y a point de dédommagement,
point d'adoucissement à la perte que j'ai faite ; il n'y fallait
pas survivre. Voilà, mon ami, le seul sentiment d'amertume
que je trouve dans mon âme contre vous. — Je voudrais bien
savoir votre sort, je voudrais bien que vous fussiez heureux.
— J'ai reçu votre lettre à une heure ; j'avais une fièvre
ardente. Je ne puis vous exprimer ce qu'il m'a fallu de
peine et de temps pour la lire : je ne voulais pas différer
jusqu'aujourd'hui, et cela me donnait presque le délire. —
J'attends de vos nouvelles ce soir. Adieu, mon ami. Si jamais
je revenais à la vie, j'aimerais encore à l'employer à vous
aimer ; mais il n'y a plus de temps.

Madame d'Épinay

Louise-Florence-Pétronille de la Live d'Esclavelles naquit à Valenciennes le 11 mars 1726. Quoiqu'elle n'eût pas une grande fortune, elle épousa son cousin M. d'Épinay, fils de M. de la Live de Bellegarde, fermier général et qui devint fermier général lui-même. Ce fut un mariage d'amour. Il ne fut pas heureux. M. d'Épinay était léger, il était prodigue, il aimait les plaisirs ; il retourna bientôt à ses amusements ; Mme d'Épinay eut alors quelques aventures de cœur. Ses *Mémoires* sont surtout, dans leur première partie, l'histoire de sa liaison avec Dupin de Francueil qui se maria par la la suite avec Marie Aurore de Saxe, fille de Maurice de Saxe, et qui fut, par ce mariage, le grand-père de George Sand.

Mme d'Épinay se lia aussi avec quelques philosophes. Elle fut l'amie de Duclos qui se montra indiscret, tracassier, autoritaire, et même un peu brutal, dans ses affectations de franchise. Elle fut l'amie de Jean-Jacques Rousseau, à qui elle offrit un asile dans sa propriété de l'Hermitage à Montmorency, et qui s'en vengea, en la maltraitant dans ses *Confessions*. Elle fut l'amie de Grimm ; il remplaça auprès d'elle Dupin de Francueil, mais il la conseilla sagement et eut sur elle une influence heureuse. Elle entretint enfin une longue correspondance avec l'abbé Galiani.

Mme d'Épinay avait un fils et une fille ; elle s'intéressa à la question de l'éducation des enfants ; elle écrivit, pour l'éducation de sa petite-fille Mlle de Belsunce les *Conversa-*

tions d'Émilie, ouvrage qui obtint, en 1783, le prix Monthyon. Mme d'Épinay mourut la même année. MM. Lucien Perey et Gaston Maugras ont publié deux volumes : *la Jeunesse de Mme d'Épinay; les Dernières Années de Mme d'Épinay,* dans lesquels on trouve des lettres d'elle mêlées au journal de sa vie ; les mêmes éditeurs ont donné la *Correspondance de l'abbé Galiani,* qui contient aussi un certain nombre de lettres de Mme d'Épinay.

OFFRE A JEAN-JACQUES ROUSSEAU
DE LE LOGER A L'HERMITAGE

A JEAN-JACQUES ROUSSEAU

[1756]

J'ai réfléchi, mon cher Rousseau, sur les raisons qui vous portent à accepter les propositions qu'on vous fait, et sur celles qui vous engageraient à les refuser. Si vous allez à Genève, dites-vous, que faire de mesdames Le Vasseur ? Rien n'est si aisé à lever que cette difficulté. Je me chargerai d'elles jusqu'à ce que vous ayez vu si vous pouvez vous accoutumer à Genève, et vous y fixer. Il ne me convient point de vous déterminer à aucun parti. Je serais peut-être trop partiale dans mes conseils et dans mes décisions. Je ne veux que lever les obstacles ; ce sera ensuite à vous à décider. Si vous refusez, m'avez-vous dit, il n'en faut pas moins quitter Paris, parce qu'il est aujourd'hui au-dessus de vos forces d'y rester. En ce cas j'ai une petite maison qui est à vos ordres. Vous m'avez souvent ouï parler de l'Hermitage qui est à l'entrée de la forêt de Montmorency : elle est située dans la plus belle vue. Il y a cinq chambres, une cuisine, une cave, un potager d'un arpent, une source d'eau vive et la forêt pour jardin. Vous êtes le maître, mon bon ami, de disposer de cette habitation si vous vous déterminez à rester en France.

Je me rappelle encore que vous m'avez dit que, si vous aviez cent pistoles de rente, vous n'iriez point ailleurs. Vous êtes, je l'espère, persuadé qu'il me serait bien doux de contribuer à votre bien-être. Je m'étais depuis longtemps proposé de chercher les moyens de vous procurer ce sort, sans savoir que vous y bornassiez vos désirs. Voici ma proposition : laissez-moi ajouter sur la vente de votre dernier ouvrage ce qui vous manque de fonds pour compléter vos cent pistoles ; je prendrai même tels arrangements qu'il vous plaira avec vous. Ainsi ce service se réduit à si peu de chose, que la proposition ne peut vous en déplaire. J'en ai d'autres à vous faire sur la manière dont vous vivrez à l'Hermitage, mais qui sont d'un trop long bail pour être écrites. Enfin, mon bon ami, réfléchissez, combinez, et soyez sûr que je ne mets d'attache qu'au parti qui vous rendra le plus heureux. Je sens tout le prix de votre amitié et l'agrément de votre société ; mais je crois qu'il faut aimer ses amis pour eux avant tout.

LA SOCIÉTÉ GENEVOISE

A GRIMM

Genève (1).

La vie qu'on mène ici me convient fort ; je sens que j'y serais heureuse avec vous, que j'aurais peine à m'en détacher. Les mœurs sont un peu loin des nôtres, à ce qu'il me paraît dans le peu que j'ai déjà vu : elles sont simples, et quoiqu'il y ait quelques citoyens qui crient à la corruption, je suis tout émerveillée de leur pureté et de leur innocence.

... Je me lève entre six et sept heures ; toutes mes matinées sont libres. A midi je descends sur ma terrasse et je me promène dans le jardin public lorsque le temps le permet. Les femmes ont ici la liberté d'aller partout à pied, seules, sans laquais et sans servantes : les étrangères mêmes se feraient remarquer et suivre si elles en usaient autrement ; cette liberté me plaît et j'en use. Je dîne chez M. Tronchin ou chez moi à une heure ; ordinairement depuis deux jusqu'à six ou fait ou on reçoit des visites ; à six heures tout est mort dans la ville, et les étrangers restent dans la plus parfaite solitude, parce que chacun se rassemble dans sa société particulière. Chacun tient l'assemblée à son tour ; on y prend le thé comme en Angleterre, mais la collation ne se borne pas à ce breuvage ; on y trouve d'excellentes pâtisseries, du café au lait, du chocolat au lait, etc.

Les assemblées qui portent le nom de sociétés sont composées d'hommes et de femmes ; on n'y admet guère de filles ; elles ont leurs sociétés particulières où les hommes et

---

(1) Mme d'Épinay, malade, alla à Genève pour consulter le célèbre Tronchin. Elle resta dans cette ville de 1757 à 1759.

les garçons ne sont introduits que lorsque l'une d'elles vient à se marier. Dans ces sociétés on s'occupe diversement, suivant l'âge et le goût de ceux qui les composent. On y joue beaucoup, on y travaille, on y fait quelquefois de la musique. Le jeu me paraît être le plaisir dominant des femmes, et j'en suis étonnée, car on m'a dit qu'elles étaient toutes aussi instruites que celles que j'ai vues, et elles le sont beaucoup. Il y a quelques sociétés composées toutes de femmes ; il y a même des assemblées d'hommes où les femmes ne sont point admises, on les nomme cercles ; mais il n'est pas vrai qu'on y fume et qu'on s'y enivre. Ces cercles se tiennent dans des appartements qu'un certain nombre de gens qui se conviennent louent à frais communs ; on s'y rassemble tel jour de la semaine convenu ; on y boit, on y mange, on y trouve les papiers publics, et on y politique à perte de vue. On s'épuise en conjectures et en découvertes sur les vues et les projets des potentats ; et, quand l'événement ne confirme pas les conjectures de nos messieurs, ils n'en sont pas moins contents de leur sagacité d'avoir trouvé incontestablement ce que telle puissance n'a pas fait, mais ce qu'elle aurait dû faire. C'est que les hommes sont les mêmes partout, à quelques petites modifications près, car je connais à Paris de ces originaux-là. Cependant, ils sont, en général, plus occupés de leurs affaires que de celles des autres ; mais presque tous les Genevois ayant leurs fonds placés en France, en Angleterre et en Hollande, il est assez simple qu'ils prennent une part très intime à ce qui s'y passe.

Mais, me voilà bien loin de ce que je voulais dire ; c'était, si je ne me trompe, à six heures que je me trouvais à peu près seule ; eh bien, ce serait l'heure où je commencerais à vivre, si j'étais ici en famille et avec vous.

Au reste, les mœurs et la manière de vivre de ces hommes-ci sont plus touchantes et plus satisfaisantes à voir qu'aisées à décrire. La vertu, l'honnêteté et surtout la simplicité sont la base de leur politique ; tout cela est cependant saupoudré d'un petit vernis de pédantisme qui, autant que j'en puis juger, est nécessaire chez eux pour maintenir leur simplicité, en quoi consiste toute la force de leur État : rien ne s'accorde qu'au mérite personnel, et tout se refuse à qui n'a pas l'estime publique. Voilà, je crois, d'où vient que ce peuple en général a la réputation d'être faux. Il n'est guère possible qu'une multitude d'hommes rassemblés soient tous honnêtes

et vertueux; mais ils sont tous dans la nécessité de le paraître.
Il est certain que l'on tient compte ici du plus petit germe
de vertu, et qu'il est mis à profit. Telles actions qui font la
gloire de nos héros de vertu à Paris pourraient faire rougir
un citoyen de Genève. Non, depuis que j'ai vu ces hommes-là
de près, je doute que Rousseau vienne jamais demeurer
parmi eux.

LA PERRUQUE DU LIEUTENANT
DE POLICE

A M. L'ABBÉ GALIANI

Paris, 20 février 1777.

Ah! je vous entends d'ici; mais en vérité, mon cher abbé,
ce n'est pas ma faute; et si je n'ai point écrit, c'est que je n'ai
pu écrire. Mal aux entrailles, mal aux dents, des comptes à
retirer des mains d'une veuve désolée qui n'avait le temps
que de pleurer et ne trouvait pas celui de me rendre mon
argent; des Dialogues (1) à faire, un Catéchisme moral que
j'ai entrepris, une pièce de mes amis qui est tombée et qu'il
a fallu relever : que sais-je? Et tout cela du fond de mon
fauteuil, car je n'en bouge pas; et puis le temps qui coule
sans avertir; un dimanche n'attend pas l'autre; on ne sait
comment faire. Enfin me voilà : je vais vous conter une
histoire, et puis nous verrons. M. le lieutenant de police (2)
était prié d'un grand dîner de communauté : c'était le cas
d'avoir une perruque neuve; il la commanda. Le jour arriva
et la perruque n'arrivait pas. Un valet de chambre va la chercher. Le perruquier fait mille excuses : mais sa femme était
accouchée deux jours avant; l'enfant était mort la veille; la
femme était encore très mal. Il n'est pas étonnant que dans
ces moments de trouble et d'embarras on ait oublié de porter
la perruque à monseigneur. Mais la voilà dans cette boîte.
Vous verrez, dit-il, que j'y ai apporté tous mes soins. On
ouvre la boîte avec précaution pour ne pas gâter la perruque;

(1) *Les Conversations d'Émilie.*
(2) C'était alors M. de Sartines.

on y trouve l'enfant mort de la veille. Ah ! Dieu ! s'écrie le perruquier, les prêtres se sont trompés : ils ont enterré la perruque ! Il a fallu un ordre de l'archevêque, un procès-verbal, un arrêt du conseil et je ne sais quoi encore pour enterrer l'enfant et déterrer la perruque.

... Comment vont vos dents, l'abbé ? Les miennes ne veulent ni tomber ni rester ; elles se bornent à me faire des maux enragés. Est-ce qu'on ne peut pas les mettre à la raison ? Chaque partie de nous-même a donc une volonté, une puissance ? Y entendez-vous quelque chose ? ah ! dites-le-moi, je vous prie.

Bonjour, mon abbé ; soyez-en sûr, je vous aime toujours, toujours ; mais le temps de le dire, où le trouve-t-on ?

ANECDOTE

AU MÊME

Paris, 19 octobre 1771.

Hélas ! mon cher abbé, je suis bien pauvre d'esprit aujour-d'hui : il pleut, et je n'ai point encore reçu de lettres cette semaine, à cause qu'il faut qu'on me les renvoie de Fontaine-bleau. Le moyen d'avoir le sens commun avec cela ! Il n'y a pas un chat à Paris, je ne vois que ma fille et mes petits-enfants, et puis mes petits-enfants et ma fille. Nous chantons tristement en mineur, et puis nous raisonnons ; et quand il nous arrive de déraisonner, nous sommes enchantées, parce que cela nous fait rire un petit moment. Par exemple, nous avons été dîner l'autre jour à Sannois chez M. d'Houdetot (1) : ma fille, Mme de la Live (2), une demoiselle de ses amies qui se nomme Mlle de Givry, et moi. En revenant, je sens tout à coup un paquet qui sort du coffre du carrosse, qui me roule sur les jambes ; je cherche avec mon pied à démêler ce que ce peut être ; je n'ai pas plus tôt appuyé le pied dessus, qu'il en sort un cri lamentable qui finit en mourant. Nous

(1) M. d'Houdetot, lieutenant général, dont la femme, sœur de M. d'Épinay, devint l'amie dévouée de Saint-Lambert.

(2) Mme Lalive de Jully, née Mlle de Nettine ; M. Lalive de Jully était le frère de M. d'Épinay.

voilà toutes à crier : qu'est-ce que c'est que cela ? c'est un chien ! c'est un enfant ! Arrêtons ! arrêtons ! et de rire à mourir. On arrête, on descend, on cherche : c'était un paquet de linge sale dans lequel on avait mis, je ne sais pourquoi, une vessie soufflée ; en marchant dessus je l'avais fait crever apparemment. Enfin, nous voilà toutes quatre sur le grand chemin à rire aux éclats. Nous remontons en voiture, en faisant de profondes réflexions sur ce chétif événement, quand tout à coup nous demandons : mais, si c'eût été un enfant, qu'aurions-nous fait ? D'un commun accord, nous l'aurions adopté toutes quatre, nous l'aurions élevé, nous lui aurions donné un nom. — Et lequel ? — Un nom composé d'une syllabe de chacun des nôtres ; et cela aurait fait le chevalier Gisabeldi : ce nom est heureux. Enfin, nous faisions le roman de toute sa vie, et nous voilà désolées de ce que le paquet n'est que du linge sale, et n'est pas un enfant. Ah ! l'abbé, s'il vous en reste quelqu'un dans quelque coin, dont vous ne sachiez que faire, faites-le mettre dans notre carrosse, la première fois que nous irons en campagne : en vérité, c'est un vrai service à nous rendre. Si vous n'en avez pas, je vous en commande un, mais choisissez bien ; envoyez-nous un petit génie naissant ; en un mot qu'il vous ressemble, et nous en ferons quelque chose ; mais laissons cette folie...

LA CURIOSITÉ CHEZ LES ANIMAUX (1)

AU MÊME

Le 5 octobre 1771.

Mon Dieu ! la belle et sublime lettre que celle que vous m'avez écrite sur cet article *Curiosité* ! Comme tout cela est bien vu et profondément pensé ! Je ne suis pourtant pas convaincue que les animaux civilisés soient sans curiosité. Mon abbé, mon chien est curieux je vous assure, je l'ai bien

(1) En réponse à une lettre de l'abbé Galiani (du 5 août 1771) dans laquelle il était question de l'article *Curiosité* du Dictionnaire philosophique de Voltaire. L'abbé Galiani avait écrit : « Si les bêtes donnent quelque signe qui vous paraisse de la curiosité, c'est l'épouvante qu'elles prennent, et rien autre ; » et encore : « Les chiens n'ont point de curiosité... Jamais aucun animal n'a été curieux.»

étudié, et ce n'est pas d'aujourd'hui. Quand un carrosse s'arrête chez moi, quand il entend le sifflet du portier, il saute de mes genoux à terre, il se met sur son cul devant la porte et regarde fixement qui va entrer. Lorsqu'il entend siffler dans la rue, au contraire, il va à la fenêtre ; mais il grogne, il aboie. Jamais l'heure de ses repas n'est précédée du sifflet, cependant, et jamais ceux qui viennent chez moi ne lui donnent à manger... La curiosité chez les hommes a différents motifs ; mais quelque modifiés qu'ils soient, et ils le sont à l'infini, on peut toujours les ramener à un point commun à tous les animaux raisonnables et irraisonnables : l'*intérêt*. L'intérêt physique, comme l'intérêt moral, implique attention ; vous ne pouvez pas nier que le chien n'apporte attention aux ordres et aux volontés de son maître ; et aux volontés du maître qui ne le bat pas, comme aux volontés du maître qui le bat. Je n'ai jamais battu mon chien ; au contraire, je le gâte par curiosité, par exemple, pour voir un peu quelle est la différence d'un chien bien gâté par sa maîtresse, ou d'une femme bien matée par le sort. Eh bien ! il m'écoute, cherche à me comprendre ; quelquefois mes volontés l'étonnent, mais il n'a alors aucun système de crainte.

Vous conviendrez que cette attention, cet étonnement ressemblent bien à la curiosité, et y mènent bien directement. Mon cher abbé, rêvez-y encore ; si vous persistez, je serai tentée de croire que c'est moi qui me trompe, mais regardez-y de près, je vous prie. Je suis tout comme vous, à la sublimité près ; je n'ai pas le temps de m'expliquer davantage.

FRÉDÉRIC II

Né en 1712, roi de Prusse en 1740, mort en 1786. Ce grand roi fut un grand écrivain, et un grand écrivain français. La partie la plus intéressante pour nous de son œuvre, dont le Dᴿ Preuss a donné à Berlin, de 1847 à 1857, une édition en 31 volumes in-4º, est sa correspondance, qui occupe les tomes XII à XXV. Cette correspondance, si volumineuse et si importante, traite de tout : politique, philosophie, littérature; elle est, après celle de Voltaire, la plus considérable et la plus remarquable que le XVIIIᵉ siècle nous ait léguée.

Voltaire et Frédéric II, ces deux grands épistoliers, correspondirent; leur commerce de lettres dura cinquante ans. C'est Frédéric, encore prince royal, qui fit le premier pas, en 1736. On trouvera sa lettre page 53. Voltaire répondit, naturellement, à d'aussi flatteuses avances. On a vu sa réponse page 48. Quand Frédéric fut monté sur le trône, il voulut attirer le philosophe à sa cour. Voltaire résista jusqu'en 1749, qu'il perdit son amie, Mme du Châtelet; ce lien rompu, il se décida à se rendre à Berlin; il fut accablé de prévenances et d'honneurs; mais l'intimité des deux grands hommes ne dura pas; il y eut des propos colportés, des malentendus renouvelés; Voltaire s'en plaignait, notamment dans ses lettres à sa nièce Mme Denis; Frédéric II, d'autre part, adressait à son philosophe des reproches dont on verra la nature et le ton par sa lettre du 24 février 1751 que nous donnons page 163. La brouille était inévitable ; elle dura, quelques années, au bout desquelles les relations épistolaires reprirent entre eux, et se maintinrent, cordiales, familières, pleines d'une franchise que chacun d'eux supporta de l'autre, sans mauvaise humeur ni rancune.

DÉSIR DE CONNAITRE VOLTAIRE (1)

A VOLTAIRE

A Berlin, 8 auguste 1736.

Monsieur, quoique je n'aie pas la satisfaction de vous connaître personnellement, vous ne m'en êtes pas moins connu par vos ouvrages. Ce sont des trésors d'esprit, si l'on peut s'exprimer ainsi, et des pièces travaillées avec tant de goût, de délicatesse et d'art, que les beautés en paraissent nouvelles chaque fois qu'on les relit. Je crois y avoir reconnu le caractère de leur ingénieux auteur, qui fait honneur à notre siècle et à l'esprit humain. Les grands hommes modernes vous auront un jour l'obligation, et à vous uniquement, en cas que la dispute à qui d'eux ou des anciens la préférence est due vienne à renaître, que vous ferez pencher la balance de leur côté.

Vous ajoutez à la qualité d'excellent poète une infinité d'autres connaissances qui, à la vérité, ont quelque affinité avec la poésie, mais qui ne lui ont été appropriées que par votre plume. Jamais poète ne cadença des pensées métaphysiques : l'honneur vous en était réservé le premier. C'est ce goût que vous marquez dans vos écrits pour la philosophie, qui m'engage à vous envoyer la traduction que j'ai fait faire de l'accusation et de la justification du sieur Wolf, le plus célèbre philosophe de nos jours, qui, pour avoir porté la lumière dans les endroits les plus ténébreux de la métaphysique, et pour avoir traité ces difficiles matières d'une manière aussi relevée que précise et nette, est cruellement accusé d'irréligion et d'athéisme. Tel est le destin des grands hommes : leur génie supérieur les expose toujours aux traits envenimés de la calomnie et de l'envie.

Je suis à présent à faire traduire le *Traité de Dieu, de l'âme*

(1) Première lettre de Frédéric II, alors seulement prince royal de Prusse, à Voltaire. Le prince avait vingt-quatre ans.

et du monde, émané de la plume du même auteur. Je vous l'enverrai, monsieur, dès qu'il sera achevé, et je suis sûr que la force de l'évidence vous frappera dans toutes ses propositions, qui se suivent géométriquement, et connectent les unes avec les autres comme les anneaux d'une chaîne.

La douceur et le support que vous marquez pour tous ceux qui se vouent aux arts et aux sciences, me font espérer que vous ne m'exclurez pas du nombre de ceux que vous trouvez dignes de vos instructions. Je nomme ainsi votre commerce de lettres, qui ne peut être que profitable à tout être pensant. J'ose même avancer, sans déroger au mérite d'autrui, que dans l'univers entier il n'y aurait pas d'exception à faire de ceux dont vous ne pourriez être le maître. Sans vous prodiguer un encens indigne de vous être offert, je peux vous dire que je trouve des beautés sans nombre dans vos ouvrages. Votre *Henriade* me charme, et triomphe heureusement de la critique peu judicieuse que l'on en a faite. La tragédie de *César* nous fait voir des caractères soutenus ; les sentiments y sont tous magnifiques et grands ; et l'on sent que Brutus est ou Romain ou Anglais. *Alzire* ajoute aux grâces de la nouveauté cet heureux contraste des mœurs des sauvages et des Européens. Vous faites voir, par le caractère de Gusman, qu'un christianisme mal entendu, et guidé par le faux zèle, rend plus barbare et plus cruel que le paganisme même.

Corneille, le grand Corneille, lui qui s'attirait l'admiration de tout son siècle, s'il ressuscitait de nos jours, verrait avec étonnement, et peut-être avec envie, que la tragique déesse vous prodigue avec profusion les faveurs dont elle était avare envers lui. A quoi n'a-t-on pas lieu de s'attendre de l'auteur de tant de chefs-d'œuvre ! Quelles nouvelles merveilles ne vont pas sortir de la plume qui jadis traça si spirituellement et si élégamment *le Temple du Goût* !

C'est ce qui me fait désirer si ardemment d'avoir tous vos ouvrages. Je vous prie, monsieur, de mes les envoyer et de me les communiquer sans réserve. Si parmi les manuscrits il y en a quelqu'un que, par une circonspection nécessaire, vous trouviez à propos de cacher aux yeux du public, je vous promets de le conserver dans le sein du secret, et de me contenter d'y applaudir dans mon particulier. Je sais malheureusement que la foi des princes est un objet peu respectable de nos jours, mais j'espère néanmoins que vous ne vous laisserez pas préoccuper par des préjugés généraux, et que vous ferez une exception à la règle en ma faveur.

Je me croirai plus riche en possédant vos ouvrages, que je ne le serai par la possession de tous les biens passagers et méprisables de la fortune, qu'un même hasard fait acquérir et perdre. L'on peut se rendre propres les premiers, s'entend vos ouvrages, moyennant le secours de la mémoire, et ils nous durent autant qu'elle. Connaissant le peu d'étendue de la mienne, je balance longtemps avant de me déterminer sur le choix des choses que je juge dignes d'y placer.

Si la poésie était encore sur le pied où elle fut autrefois, savoir, que les poètes ne savaient que fredonner des idylles ennuyeuses, des églogues faites sur un même moule, des stances insipides, ou que tout au plus ils savaient monter leur lyre sur le ton de l'élégie, j'y renoncerais à jamais ; mais vous ennoblissez cet art, vous nous montrez des chemins nouveaux et des routes inconnues aux *** et aux Rousseau.

Vos poésies ont des qualités qui les rendent respectables et dignes de l'admiration et de l'étude des honnêtes gens. Elles sont un cours de morale où l'on apprend à penser et à agir. La vertu y est peinte des plus belles couleurs. L'idée de la véritable gloire y est déterminée ; et vous insinuez le goût des sciences d'une manière si fine et si délicate, que quiconque a lu vos ouvrages respire l'ambition de suivre vos traces. Combien de fois ne me suis-je pas dit : Malheureux ! laisse là un fardeau dont le poids surpasse tes forces : l'on ne peut imiter Voltaire, à moins que d'être Voltaire même.

C'est dans ces moments que j'ai senti que les avantages de la naissance, et cette fumée de grandeur dont la vanité nous berce, ne servent qu'à peu de chose, ou pour mieux dire à rien. Ce sont des distinctions étrangères à nous-mêmes, et qui ne décorent que la figure. De combien les talents de l'esprit ne leur sont-ils pas préférables ! Que ne doit-on pas aux gens que la nature a distingués parce qu'elle les a fait naître ! Elle se plaît à former des sujets qu'elle doue de toute la capacité nécessaire pour faire des progrès dans les arts et dans les sciences ; et c'est aux princes à récompenser leurs veilles. Eh ! que la gloire ne se sert-elle de moi pour couronner vos succès ! Je ne craindrais autre chose, sinon que ce pays, peu fertile en lauriers, n'en fournit pas autant que vos ouvrages en méritent.

Si mon destin ne me favorise pas jusqu'au point de pouvoir

vous posséder, du moins puis-je espérer de voir un jour celui que depuis si longtemps j'admire de si loin, et de vous assurer de vive voix que je suis avec toute l'estime et la considération due à ceux qui, suivant pour guide le flambeau de la vérité, consacrent leurs travaux au public, monsieur, votre affectionné ami, FÉDÉRIC, P. R. de Prusse (1).

ENVOI DE SON PORTRAIT

AU MÊME

De Remusberg, le 7 avril 1737.

Mon empire sera bien petit, monsieur, s'il n'est composé que de sujets de votre mérite. Faut-il des rois pour gouverner des philosophes ? des ignorants pour conduire des gens instruits ? en un mot des hommes pleins de leurs passions pour contenir les vices de ceux qui les suppriment, non par la crainte des châtiments, non par la puérile appréhension de l'enfer et des démons, mais par amour de la vertu ?

La raison est votre guide ; elle est votre souveraine ; et Henri le Grand, le saint qui vous protège. Une autre assistance vous serait superflue. Cependant si je me voyais, relativement au poste que j'occupe, en état de vous faire ressentir les effets des sentiments que j'ai pour vous, vous trouveriez en moi un saint qui ne se ferait jamais invoquer en vain : je commence par vous en donner un petit échantillon. Il me paraît que vous souhaitez d'avoir mon portrait, vous le voulez, je l'ai commandé sur l'heure.

Pour vous montrer à quel point les arts sont en honneur chez nous, apprenez, monsieur, qu'il n'est aucune science que nous ne tâchions d'ennoblir. Un de mes gentilshommes, nommé Knobelsdorf (2), qui ne borne pas ses talents à savoir manier le pinceau, a tiré ce portrait. Il sait qu'il travaille pour vous et que vous êtes connaisseur : c'est un aiguillon qui suffit pour l'animer à se surpasser. Un de mes intimes amis, le baron de Kaiserling ou Césarion, vous rendra mon

(1) Le roi de Prusse a toujours signé *Fédéric*, qui est plus doux à prononcer que *Frédéric*.
(2) Inspecteur général des édifices royaux.

effigie. Il sera à Cirey vers la fin du mois prochain. Vous jugerez, en le voyant, s'il ne mérite pas l'estime de tout honnête homme. Je vous prie, monsieur, de vous confier à lui. Il est chargé de vous presser vivement au sujet de la *Pucelle*, de la *Philosophie de Newton*, de l'*Histoire de Louis XIV*, et de tout ce qu'il pourra vous extorquer.

Comment répondre à vos vers, à moins d'être né poète ? Je ne suis pas assez aveuglé sur moi-même pour imaginer que j'aie le talent de la versification. Écrire dans une langue étrangère, y composer des vers, et qui pis est, se voir désavoué d'Apollon, c'en est trop.

> Je rime pour rimer : mais est-ce être poète,
> Que de savoir marquer le repos dans un vers :
> Et se sentant pressé d'une ardeur indiscrète,
> Aller psalmodier sur des sujets divers ?
> Mais lorsque je te vois t'élever dans les airs,
> Et d'un vol assuré prendre l'essor rapide,
> Je crois, dans ce moment, que Voltaire me guide :
> Mais non ; Icare tombe et périt dans les mers.

En vérité, nous autres poètes nous promettons beaucoup et tenons peu. Dans le moment même que je vous fais amende honorable de tous les mauvais vers que je vous ai adressés, je tombe dans la même faute. Que Berlin devienne Athènes, j'en accepte l'augure ; pourvu qu'elle soit capable d'attirer M. de Voltaire, elle ne pourra manquer de devenir une des villes les plus célèbres de l'Europe.

Je me rends, monsieur, à vos raisons. Vous justifiez vos vers à merveille. Les Romains ont eu des bottes de foin en guise d'étendards. Vous m'éclairez, vous m'instruisez ; vous savez me faire tirer profit de mon ignorance même.

SON AVÉNEMENT

AU MÊME

A Charlottembourg, le 6 juin 1740.

Mon cher ami, mon sort est changé et j'ai assisté aux derniers moments d'un roi, à son agonie, à sa mort. En parvenant à la royauté, je n'avais pas besoin assurément de cette leçon pour être dégoûté de la vanité des grandeurs humaines.

J'avais projeté un petit ouvrage de métaphysique ; il s'est changé en un ouvrage de politique. Je croyais joûter avec l'aimable Voltaire, et il me faut escrimer avec Machiavel. Enfin, mon cher Voltaire, nous ne sommes point maîtres de notre sort. Le tourbillon des événements nous entraîne, et il faut se laisser entraîner. Ne voyez en moi, je vous prie, qu'un citoyen zélé, un philosophe un peu sceptique, mais un ami véritablement fidèle. Pour dieu, ne m'écrivez qu'en homme, et méprisez avec moi les titres, les noms, et tout l'éclat extérieur.

Jusqu'à présent il me reste à peine le temps de me reconnaître ; j'ai des occupations infinies : je m'en donne encore de surplus ; mais malgré tout ce travail, il me reste toujours du temps assez pour admirer vos ouvrages et pour puiser chez vous des instructions et des délassements.

Assurez la marquise de mon estime. Je l'admire autant que ses vastes connaissances et la rare capacité de son esprit le méritent.

Adieu, mon cher Voltaire ; si je vis, je vous verrai, et même dès cette année. Aimez-moi toujours, et soyez toujours sincère ami avec votre ami FÉDÉRIC.

DE LA DIFFÉRENCE
DES POINTS DE VUE

AU MÊME

A Selovitz, le 23 mars 1742.

Mon cher Voltaire, je crains de vous écrire, car je n'ai d'autres nouvelles à vous mander que d'une espèce dont vous ne vous souciez guère, ou que vous abhorrez.

Si je vous disais, par exemple, que des peuples de deux contrées de l'Allemagne sont sortis du fond de leurs habitations pour se couper la gorge avec d'autres peuples dont ils ignoraient jusqu'au nom même, et qu'ils ont été chercher dans un pays fort éloigné : pourquoi ? parce que leur maître a fait un contrat avec un autre prince, et qu'ils voulaient,

joints ensemble, en égorger un troisième ; vous me répon-
driez que ces gens sont fous, sots et furieux de se prêter ainsi
aux caprices et à la barbarie de leurs maitres. Si je vous
disais que nous nous préparons avec grand soin à détruire
quelques murailles élevées à grands frais ; que nous faisons
la moisson où nous n'avons point semé, et les maitres où
personne n'est assez fort pour nous résister ; vous vous
écrieriez : Ah ! barbares ! ah ! brigands ! inhumains que vous
êtes, les injustes n'hériteront point du royaume des cieux,
selon saint Mathieu, chap. XII, vers. 24.

Puisque je prévois tout ce que vous me diriez sur ces matières, je ne vous en parlerai point. Je me contenterai de
vous informer qu'une tête assez folle, dont vous aurez
entendu parler sous le nom de *roi de Prusse*, apprenant que
les Etats de son allié l'empereur étaient ruinés par la reine
de Hongrie, a volé à son secours, qu'il a joint ses troupes à
celles du roi de Pologne, pour opérer une diversion en
Basse-Autriche, et qu'il y a si bien réussi, qu'il s'attend dans
peu à combattre les principales forces de la reine de Hongrie,
pour le service de son allié.

Voilà de la générosité, direz-vous, voilà de l'héroïsme ;
cependant, cher Voltaire, le premier tableau et celui-ci sont
les mêmes. C'est la même femme qu'on fait voir d'abord en
cornette de nuit, et ensuite avec son fard et ses pompons.

De combien de différentes façons n'envisage-t-on pas les
objets ? Combien les jugements ne varient-ils point ? Les
hommes condamnent le soir ce qu'ils ont approuvé le matin.
Ce même soleil qui leur plaisait à son aurore, les fatigue à
son couchant. De là viennent ces réputations établies, effa-
cées et rétablies pourtant ; et nous sommes assez insensés de
nous agiter pendant toute notre vie pour acquérir de la
réputation ! Est-il possible qu'on ne soit pas détrompé de
cette fausse monnaie depuis le temps qu'elle est connue ?

Je ne vous écris point de vers, parce que je n'ai pas le
temps de toiser des syllabes. Souffrez que je vous fasse souvenir de l'*Histoire de Louis XIV*, je vous menace de l'excom-
munication du Parnasse si vous n'achevez pas cet ouvrage.

Adieu, cher Voltaire, aimez un peu, je vous prie, ce trans-
fuge d'Apollon, qui s'est enrôlé chez Bellone. Peut-être
reviendra-t-il un jour servir sous ses vieux drapeaux. Je suis
toujours votre admirateur et ami FÉDÉRIC.

DEVOIRS D'UN ROI (1)

A M JORDAN

Camp de Kuttenberg, 15 juin 1742.

Federicus Jordano, salut. Enfin, voilà la paix venue, cette paix après laquelle vous avez tant soupiré, pour laquelle tant de sang a été répandu et dont toute l'Europe commençait à désespérer. Je ne sais ce que l'on dira de moi ; je m'attends, à la vérité, à quelques traits de satire, et à ces propos ordinaires, ces lieux communs que les sots et les ignorants, en un mot les gens qui ne pensent point, répètent sans cesse après les autres. Moi, je m'embarrasse peu du jargon insensé du public, et j'en appelle à tous les docteurs de la jurisprudence et de la morale politique, si, après avoir fait humainement ce qui dépend de moi pour remplir mes engagements, je suis obligé de ne m'en point départir, lorsque je vois, d'un côté, un allié qui n'agit point (2), de l'autre, un allié qui agit mal (3), et que, pour surcroît, j'ai l'appréhension, au premier mauvais succès, d'être abandonné, moyennant une paix faussée, par celui de mes alliés qui est le plus fort et le plus puissant.

Je demande si, dans un cas où je prévois la ruine de mon armée, l'épuisement de mes trésors, la perte de mes conquêtes, le dépeuplement de l'État, le malheur de mes peuples, et, en un mot, toutes les mauvaises fortunes auxquelles exposent le hasard des armes et la duplicité des politiques ; je demande si, dans un cas semblable, un souverain n'a pas raison de se garantir par une sage retraite d'un naufrage certain ou d'un péril évident.

Nous demandez-vous de la gloire ? Mes troupes en ont suffisamment acquis. Nous demandez-vous des avantages ? Les conquêtes en font foi. Désirez-vous que les troupes s'aguerrissent ? J'en appelle au témoignage de vos ennemis, qui est irrévocable. En un mot, rien ne surpasse cette armée

(1) Jordan (1700-1745), chargé par Frédéric II, qui le nomma conseiller privé, de traduire en français la *Morale* de Wolff.
(2) L'empereur Charles VII, électeur de Bavière.
(3) Le roi de France.

en valeur, en force, en patience dans le travail et dans toutes les parties qui constituent des troupes invincibles.

Si l'on trouve de la prudence à un joueur qui, après avoir gagné un sept-leva, quitte la partie, combien plus ne doit-on pas approuver un guerrier qui sait se mettre à l'abri des caprices de la fortune après une suite triomphante de prospérités.

Ce ne sera pas vous qui me condamnerez, mais ce seront ces stoïciens dont le tempérament sec et la cervelle brûlée inclinent à la morale rigide. Je leur réponds qu'ils feront bien de suivre leurs maximes, mais que le pays des romans est plus fait pour cette pratique sévère que le continent que nous habitons, et que, après tout, un particulier a de tout autres raisons pour être honnête homme qu'un souverain. Chez un particulier il ne s'agit que de l'avantage de son individu ; il le doit constamment sacrifier au bien de la société. Ainsi l'observation rigide de la morale lui devient un devoir, la règle étant : Il vaut mieux qu'un homme souffre que si tout le peuple périssait. Chez un souverain, l'avantage d'une grande nation fait son objet, c'est son devoir de le procurer ; pour y parvenir, il doit se sacrifier lui-même, à plus forte raison ses engagements, lorsqu'ils commencent à devenir contraires au bien-être de ses peuples.

Voilà ce que j'avais à vous dire, et dont vous pourrez faire usage en temps et lieu dans les compagnies et les conversations, sans faire remarquer que la paix est faite.

Pressez Knobelsdorff d'achever Charlottenbourg, car je compte y passer une bonne partie de mon temps.

Adieu, cher Jordan ; ne doutez point de toute la tendre amitié que j'ai eue, et que j'aurai pour vous jusqu'au dernier soupir de ma vie.

SUR L'ART DE LA GUERRE

A MAURICE DE SAXE

De Charlottembourg, 3 novembre 1746.

Monsieur le Maréchal, la lettre que vous me faites le plaisir de m'écrire m'a été très agréable ; je crois qu'elle peut servir d'instruction pour tout homme qui se charge de la conduite d'une armée.

Vous donnez des préceptes que vous soutenez par vos exemples, et je puis vous assurer que je n'ai pas été des derniers à applaudir aux manœuvres que vous avez faites.

Dans les premiers bouillons de la jeunesse, lorsqu'on ne suit que la vivacité d'une imagination qui n'est pas réglée par l'expérience, on sacrifie tout aux actions brillantes et aux choses singulières qui ont de l'éclat. A vingt ans, Boileau estimait Voiture ; à trente, il lui préférait Horace.

Dans les premières années que j'ai pris le commandement de mes troupes j'étais pour les pointes ; mais tant d'événements que j'ai vus arriver, et auxquels j'ai eu ma part, m'en ont désabusé. Ce sont les pointes qui m'ont fait manquer ma campagne de 1744, et c'est pour avoir mal assuré la position de leurs quartiers, que les Français et les Espagnols ont enfin été réduits à abandonner l'Italie.

J'ai suivi pas à pas votre campagne de Flandre, et sans que j'aie assez de présomption pour me fier à mon jugement, je crois que la critique la plus sévère ne peut y trouver prise.

Le grand art de la guerre est de prévoir tous les événements, et le grand art du général est d'avoir préparé d'avance toutes les ressources pour n'être point embarrassé de son parti, lorsque le moment décisif d'en prendre est venu. Plus les troupes sont bonnes, bien composées et bien disciplinées, moins il y a d'art à les conduire ; et comme c'est à surmonter les difficultés que s'acquiert la gloire, il est sûr que celui qui en a le plus à vaincre doit avoir aussi une plus grande part à l'honneur. On fera toujours de Fabius un Annibal ; mais je ne crois pas qu'un Annibal soit capable de suivre la conduite d'un Fabius.

Je vous félicite de tout mon cœur sur la belle campagne que vous venez de finir. Je ne doute pas que le succès de votre campagne prochaine ne soit digne des deux précédentes. Vous préparez les événements avec trop de prudence pour que les suites ne se doivent pas y répondre. Le chapitre des événements est vaste ; mais la prévoyance et l'habileté peuvent corriger la fortune.

Je suis, avec bien de l'estime, votre affectionné ami.

REPROCHES

A VOLTAIRE

Potsdam, 24 février 1751.

J'ai été bien aise de vous recevoir chez moi, j'ai estimé votre esprit, vos talents, vos connaissances ; et j'ai dû croire qu'un homme de votre âge, lassé de s'escrimer contre les auteurs et de s'exposer à l'orage, venait ici pour se réfugier comme en un port tranquille. Mais vous avez d'abord, d'une façon assez singulière, exigé de moi de ne point prendre Fréron pour m'écrire des nouvelles (1) ; j'ai eu la faiblesse ou la complaisance de vous l'accorder, quoique ce n'était pas à vous de décider de ceux que je prendrais en service. D'Arnaud (2) a eu des torts envers vous ; un homme vindicatif poursuit ceux qu'il prend en haine. Enfin, quoique d'Arnaud ne m'ait rien fait, c'est par rapport à vous qu'il est parti d'ici. Vous avez été chez le ministre de Russie (3) lui parler d'affaires dont vous n'aviez point à vous mêler, et l'on a cru que je vous en avais donné la commission. Vous vous êtes mêlé des affaires de Mme de Bentinck (4), sans que ce fût certainement de votre département. Vous avez eu la plus vilaine affaire du monde avec le Juif (5). Vous avez fait un train affreux dans toute la ville. L'affaire des billets saxons est si bien connue en Saxe, qu'on m'en a porté de grièves plaintes. Pour moi, j'ai conservé la paix dans ma maison jusqu'à votre arrivée ; et je vous avertis que si vous avez la passion d'intriguer et de cabaler, vous vous êtes très mal adressé. J'aime des gens doux et paisibles, qui ne mettent point dans leur conduite les passions violentes et la tragédie. En cas que vous puissiez vous résoudre à vivre en philosophe,

(1) Élie-Catherine Fréron (1718-1776). D'abord collaborateur de l'abbé Desfontaines, puis rédacteur des *Lettres sur les écrits du temps* et de *l'Année littéraire*. Voltaire le haïssait férocement.
(2) Baculard d'Arnaud (1718-1805), écrivain fécond, auteur de romans lugubres qui eurent un grand succès de larmes.
(3) M. de Gross.
(4) Elle plaidait contre son mari ; Voltaire s'intéressait à elle.
(5) Abraham Hirsch ; à propos d'une spéculation imprudente que Voltaire avait tentée par son intermédiaire.

je serai bien aise de vous voir; mais si vous vous abandonnez
à toutes les fougues de vos passions, et que vous en vouliez à
tout le monde, vous ne me ferez aucun plaisir de venir ici,
et vous pouvez tout autant rester à Berlin.

SUR JEAN-JACQUES ROUSSEAU

A MILORD MARISCHAL (1)

Peterswaldau, 1er septembre 1762.

Votre lettre, mon cher mylord, au sujet de Rousseau de
Genève m'a fait beaucoup de plaisir. Je vois que nous pensons de même; il faut soulager ce pauvre malheureux, qui
ne pèche que par avoir des opinions singulières, mais qu'il
croit bonnes. Je vous ferai remettre cent écus, dont vous
aurez la bonté de lui faire donner ce qu'il lui faut pour ses
besoins. Je crois, en lui donnant les choses en nature, qu'il
les acceptera plutôt que de l'argent. Si nous n'avions pas la
guerre, si nous n'étions pas ruinés, je lui ferais bâtir un
ermitage avec un jardin où il pourrait vivre comme il croit
qu'ont vécu nos premiers pères. J'avoue que mes idées sont
aussi différentes des siennes qu'est le fini de l'infini; il ne
me persuaderait jamais à brouter l'herbe et à marcher à
quatre pattes. Il est vrai que tout ce luxe asiatique, ce raffi-
nement de bonne chère, de volupté et de mollesse, n'est point
essentiel à notre conservation, et que nous pourrions vivre
avec plus de simplicité et de frugalité que nous ne le faisons; mais pourquoi renoncer aux agréments de la vie,
quand on en peut jouir? La véritable philosophie, ce me
semble, est celle qui, sans interdire l'usage, se contente à
condamner l'abus; il faut savoir se passer de tout, mais ne
renoncer à rien. Je vous avoue que bien des philosophes
modernes me déplaisent par les paradoxes qu'ils annoncent.
Ils veulent dire des vérités neuves, et ils débitent des
erreurs qui choquent le bon sens. Je m'en tiens à Locke, à
mon ami Lucrèce, à mon bon empereur Marc-Aurèle; ces
gens nous ont dit tout ce que nous pouvons savoir, à la

---

(1) Georges Keith, maréchal d'Écosse (1686-1778), partisan des Stuarts; avait
quitté son pays pour cette raison et avait pris du service en Prusse.

physique d'Épicure près, et tout ce qui peut nous rendre modérés, bons et sages. Après cela, il est plaisant qu'on nous débite que nous sommes tous égaux, et que par conséquent nous devons vivre comme des sauvages, sans lois, sans société et sans police, que les beaux-arts ont nui aux mœurs, et autres paradoxes aussi peu soutenables. Je crois que votre Rousseau a manqué sa vocation ; il était sans doute né pour devenir un fameux cénobite, un Père du désert, célèbre par ses austérités et ses macérations, un stylite. Il aurait fait des miracles, il serait devenu un saint, et il aurait grossi l'énorme catalogue du Martyrologe ; mais à présent il ne sera regardé qu'en qualité de philosophe singulier, qui ressuscite après deux mille ans la secte de Diogène. Ce n'est pas la peine de brouter l'herbe, ni de se brouiller avec tous les philosophes ses contemporains. Défunt Maupertuis m'a conté de lui un trait qui le caractérise bien. A son premier voyage de France, Rousseau subsistait à Paris de ce qu'il gagnait à copier de la musique. Le duc d'Orléans apprit qu'il était pauvre et malheureux et lui donna quelque musique à transcrire pour avoir occasion de lui faire quelque libéralité. Il lui envoya cinquante louis ; Rousseau en prit cinq et rendit le reste, qu'il ne voulut jamais accepter, quoiqu'on l'en pressât, disant que son ouvrage ne valait pas davantage et que le duc d'Orléans pouvait mieux employer cette somme en la donnant à des gens plus pauvres et plus paresseux que lui. Ce grand désintéressement est sans contredit le fond essentiel de la vertu ; ainsi je juge que votre sauvage a les mœurs aussi pures que l'esprit inconséquent.

LA VRAIE GLOIRE

A VOLTAIRE

A Potsdam, le 3 janvier 1773.

Que Thiriot a de l'esprit (1),
Depuis que le trépas en a fait un squelette !
Mais lorsqu'il végétait dans ce monde maudit,
Du Parnasse français composant la gazette,
    Il n'eut ni gloire ni crédit.
Maintenant il paraît, par les vers qu'il écrit,
Un philosophe, un sage, autant qu'un grand poète.
Aux bords de l'Achéron où son destin le jette,
    Il a trouvé tous les talents
    Qu'une fatalité bizarre,
Lui dénia toujours lorsqu'il en était temps,
Pour les lui prodiguer au fin fond du Ténare.
Enfin, les trépassés et tous nos sots vivants
Pourront donc aspirer à briller comme à plaire,
S'ils sont assez adroits, avisés et prudents
    De choisir pour leur secrétaire
    Homère, Virgile ou Voltaire.

Solon avait donc raison : on ne peut juger du mérite d'un homme qu'après sa mort. Au lieu de m'envoyer souvent un fatras non lisible d'extraits de mauvais livres, Thiriot aurait dû me régaler de tels vers, devant lesquels les meilleurs qu'il m'arrive de faire baissent le pavillon. Apparemment qu'il méprisait la gloire au point qu'il dédaignait d'en jouir. Cette philosophie ascétique surpasse, je l'avoue, mes forces.

(1) En réponse à une lettre de Voltaire du 22 décembre dans laquelle il avait adressé à Frédéric des vers, « que, lui disait-il, je reçois de Thiriot, votre feu nouvelliste », et dont voici quelques-uns :

Les morts ne me fournissent rien,
. . . .
Cependant ils savent fort bien
De Frédéric toute l'histoire
Et que ce héros prussien
A dans le temple de Mémoire,
Toutes les espèces de gloire,
Excepté celle de chrétien.

(Thiriot, ami de Voltaire, était mort en 1772.)

Il est très vrai qu'en examinant ce que c'est que la gloire, elle se réduit à peu de chose. Être jugé par des ignorants et estimé par des imbéciles, entendre prononcer son nom par une populace qui approuve, rejette, aime ou hait sans raison, ce n'est pas de quoi s'enorgueillir. Cependant, que deviendraient les actions vertueuses et louables, si nous ne chérissions pas la gloire.

Les dieux sont pour César, mais Caton suit Pompée.

Ce sont les suffrages de Caton que les honnêtes gens désirent mériter. Tous ceux qui ont bien mérité de leur patrie, ont été encouragés dans leurs travaux par le préjugé de la réputation ; mais il est essentiel, pour le bien de l'humanité, qu'on ait une idée nette et déterminée de ce qui est louable : on peut donner dans des travers étranges en s'y trompant.

Faites du bien aux hommes et vous en serez béni : voilà la vraie gloire. Sans doute que tout ce qu'on dira de nous après notre mort pourra nous être aussi indifférent que tout ce qui s'est dit à la construction de la tour de Babel ; cela n'empêche pas qu'accoutumés à exister, nous ne soyons sensibles au jugement de la postérité. Les rois doivent l'être plus que les particuliers, puisque c'est le seul tribunal qu'ils aient à redouter.

Pour peu qu'on soit né sensible, on prétend à l'estime de ses compatriotes : on veut briller par quelque chose, on ne veut pas être confondu dans la foule qui végète. Cet instinct est une suite des ingrédients dont la nature s'est servie pour nous pétrir : j'en ai ma part. Cependant je vous assure qu'il ne m'est jamais venu dans l'esprit de me comparer avec mes confrères, ni avec Moustapha, ni avec aucun autre ; ce serait une vanité puérile et bourgeoise : je ne m'embarrasse que de mes affaires. Souvent pour m'humilier, je me mets en parallèle avec le Τὸ καλὸν, avec l'archétype des stoïciens ; et je confesse alors avec Memnon, que des êtres fragiles comme nous ne sont pas formés pour atteindre à la perfection.

Si l'on voulait recueillir tous les préjugés qui gouvernent le monde, le catalogue remplirait un gros in-folio. Contentons-nous de combattre ceux qui nuisent à la société, et ne détruisons pas les erreurs utiles autant qu'agréables.

Cependant, quelque goût que je confesse d'avoir pour la gloire, je ne me flatte pas que les princes aient le plus de part à la réputation ; je crois au contraire que les grands auteurs, qui savent joindre l'utile à l'agréable, instruire en amusant, jouiront d'une gloire plus durable, parce que la vie des bons princes se passant tout en action, la vicissitude et la foule des événements qui suivent, effacent les précédents ; au lieu que les grands auteurs sont non seulement les bienfaiteurs de leurs contemporains, mais de tous les siècles.

Le nom d'Aristote retentit plus dans les écoles que celui d'Alexandre. On lit et relit plus souvent Cicéron que les *Commentaires de César*. Les bons auteurs du dernier siècle ont rendu le règne de Louis XIV plus fameux que les victoires du conquérant. Les noms de Fra-Paolo, du cardinal Bembo, du Tasse, de l'Arioste, l'emportent sur ceux de Charles-Quint et de Léon X, tout vice-dieu que ce dernier prétendît être. On parle cent fois de Virgile, d'Horace, d'Ovide, pour une fois d'Auguste, et encore est-ce rarement à son honneur. S'agit-il de l'Angleterre, on est bien plus curieux des anecdoctes qui regardent les Newton, les Locke, les Shaftesbury, les Milton, les Bolingbroke, que de la cour molle et voluptueuse de Charles II, de la lâche superstition de Jacques II, et de toutes les misérables intrigues qui agitèrent le règne de la reine Anne. De sorte que vous autres précepteurs du genre humain, si vous aspirez à la gloire, votre attente est remplie, au lieu que souvent nos espérances sont trompées, parce que nous ne travaillons que pour nos contemporains, et vous pour tous les siècles.

On ne vit plus avec nous quand un peu de terre a couvert nos cendres ; et l'on converse avec tous les beaux esprits de l'antiquité qui nous parlent par leurs livres.

Nonobstant tout ce que je viens de vous exposer, je n'en travaillerai pas moins pour la gloire, dussé-je crever à la peine, parce qu'on est incorrigible à soixante et un ans, et parce qu'il est prouvé que celui qui ne désire pas l'estime de ses contemporains en est indigne. Voilà l'aveu sincère de ce que je suis, et de ce que la nature a voulu que je fasse.

Si le patriarche de Ferney, qui pense comme moi, juge mon cas un péché mortel, je lui demande l'absolution. J'attendrai humblement ma sentence ; et si même il me condamne, je ne l'en aimerai pas moins.

Puisse-t-il vivre la millième partie de ce que durera sa réputation : il passera l'âge des patriarches. C'est ce que lui souhaite le philosophe de Sans-Souci. *Vale.* Fédéric.

Je fais copier mes lettres, parce que ma main commence à devenir tremblante, et qu'écrivant d'un très petit caractère, cela pourrait fatiguer vos yeux.

CAUSERIE LITTÉRAIRE

AU MÊME

A Potsdam, le 24 juillet 1775.

Je viens de voir Lekain (1). Il a été obligé de me dire comme il vous a trouvé, et j'ai été bien aise d'apprendre de lui que vous vous promenez dans votre jardin, que votre santé est assez bonne, et que vous avez encore plus de gaîté dans votre conversation que dans vos ouvrages. Cette gaîté, que vous conservez, est la marque la plus sûre que nous vous possé-derons encore longtemps. Ce feu élémentaire, ce principe vital, est le premier qui s'affaiblit lorsque les années minent et sapent la mécanique de notre existence. Je ne crains donc plus maintenant que le trône du Parnasse devienne sitôt vacant ; je vous nommerai hardiment mon exécuteur testa-mentaire : ce qui me fait grand plaisir.

Lekain a joué les rôles d'Œdipe, de Mahomet et d'Oros-mane : pour Œdipe nous l'avons entendu deux fois. Ce comédien est très habile ; il a un bel organe, il se présente avec dignité, il a le geste noble, et il est impossible d'avoir plus d'attention pour la pantomime qu'il en a. Mais vous dirai-je naïvement l'impression qu'il a faite sur moi ? Je le voudrais un peu moins outré, et alors je le croirais parfait.

L'année passée, j'ai entendu Aufresne (2) : peut-être lui faudrait-il un peu plus du feu que l'autre a de trop. Je ne consulte en ceci que la nature, et non ce qui peut être en usage en France. Cependant je n'ai pu retenir mes larmes ni dans *Œdipe*, ni dans *Zaïre* ; c'est qu'il y a des morceaux si touchants dans la dernière et de si terribles dans la première,

(1) Henri-Louis Cain, dit Lekain (1728-1778), acteur célèbre du XVIIIe siècle ; créa plusieurs pièces de Voltaire qui l'admirait beaucoup.
(2) Acteur qui, après avoir débuté à la Comédie-Française, dut quitter ce théâtre, par suite de rivalités ; il alla alors jouer à l'étranger :

qu'on s'attendrit dans l'une, et qu'on frémit dans l'autre. Quel bonheur pour le patriarche de Ferney d'avoir produit ces chefs-d'œuvre, et d'avoir formé celui dont l'organe les rend si supérieurement sur la scène !

Il y a eu beaucoup de spectateurs à ces représentations : ma sœur Amélie, la princesse Ferdinand, la landgrave de Hesse et la princesse de Wurtemberg, votre voisine, qui est venue ici de Montbelliard pour entendre Lekain. Ma nièce de Montbelliard m'a dit qu'elle pourrait bien entreprendre un jour le voyage de Ferney pour voir l'auteur dont les ouvrages font les délices de l'Europe. Je l'ai fort encouragée à satisfaire cette digne curiosité. Oh ! que les belles-lettres sont utiles à la société ! Elles délassent de l'ouvrage de la journée, elles dissipent agréablement les vapeurs politiques qui entêtent, elles adoucissent l'esprit, elles amusent jusqu'aux femmes, elles consolent les affligés et sont enfin l'unique plaisir qui reste à ceux que l'âge a courbés sous son faix, et qui se trouvent heureux d'avoir contracté ce goût dès leur jeunesse.

Nos Allemands ont l'ambition de jouir à leur tour des avantages des beaux-arts : ils s'efforcent d'égaler Athènes, Rome, Florence et Paris. Quelque amour que j'aie pour ma patrie, je ne saurais dire qu'ils réussissent jusqu'ici : deux choses leur manquent, la langue et le goût. La langue est trop verbeuse : la bonne compagnie parle français, et quelques cuistres de l'école et quelques professeurs ne peuvent lui donner la politesse et les tours aisés qu'elle ne peut acquérir que dans la société du grand monde. Ajoutez à cela la diversité des idiomes ; chaque province soutient le sien, et jusqu'à présent rien n'est décidé sur la préférence. Pour le goût, les Allemands en manquent ; ils n'ont pas encore pu imiter les auteurs du siècle d'Auguste : ils font un mélange vicieux du goût romain, anglais, français et tudesque ; ils manquent encore de ce discernement fin qui saisit les beautés où il les trouve, et sait distinguer le médiocre du parfait, le noble du sublime, et les appliquer chacun à leurs endroits convenables. Pourvu qu'il y ait beaucoup d'*r* dans les mots de leur poésie, ils croient que leurs vers sont harmonieux ; et pour l'ordinaire ce n'est qu'un galimatias de termes ampoulés. Dans l'histoire, ils n'omettraient pas la moindre circonstance, quand même elle serait inutile.

Leurs meilleurs ouvrages sont sur le droit public. Quant à

la philosophie, depuis le génie de Leibnitz et la grosse monade de Wolf, personne ne s'en mêle plus. Ils croient réussir au théâtre ; mais, jusqu'ici, rien de parfait n'a paru. L'Allemagne est actuellement comme était la France du temps de François Ier. Le goût des lettres commence à se répandre : il faut attendre que la nature fasse naître de vrais génies, comme sous les ministères des Richelieu et des Mazarin. Le sol qui a produit un Leibnitz en peut produire d'autres.

Je ne verrai pas ces beaux jours de ma patrie, mais j'en prévois la possibilité. Vous me direz que cela peut vous être très indifférent, et que je fais le prophète tout à mon aise en étendant, le plus que je peux, le terme de ma prédiction. C'est ma façon de prophétiser, et la plus sûre de toutes, puisque personne ne me donnera le démenti.

Pour moi je me console d'avoir vécu dans le siècle de Voltaire ; cela me suffit. Qu'il vive, qu'il digère, qu'il soit de bonne humeur, et surtout qu'il n'oublie pas le solitaire de Sans-Souci. *Vale.*

SUR LA MORT
DE MADEMOISELLE DE LESPINASSE

A D'ALEMBERT

Potsdam, 9 juillet 1776.

Je compatis au malheur qui vous est arrivé de perdre une personne à laquelle vous étiez attaché. Les plaies du cœur sont les plus sensibles de toutes ; et malgré les belles maximes des philosophes, il n'y a que le temps qui les guérisse. L'homme est un animal plus sensible que raisonnable. Je n'ai que trop éprouvé, pour mon malheur, ce qu'on souffre de telles pertes. Le meilleur remède est de se faire violence pour se distraire d'une idée douloureuse qui s'enracine trop dans l'âme ; il faut choisir quelque occupation géométrique qui demande beaucoup d'application, pour écarter, autant que l'on peut, des idées funestes qui se renouvellent sans cesse, et qu'il faut éloigner le plus que possible (*sic*). Je vous proposerais de meilleurs remèdes si j'en connaissais. Cicéron, pour se consoler de la mort de sa chère Tullie, se jeta dans la composition, et fit plusieurs traités dont quelques-uns nous sont parvenus. Notre raison est trop faible pour vaincre la douleur d'une blessure ; il faut donner quelque chose à la nature, et se dire surtout qu'à votre âge, comme au mien, on doit se consoler plus tôt, parce que nous ne tarderons guère de nous rejoindre aux objets de nos regrets. J'accepte avec plaisir l'espérance que vous me donnez de venir passer quelques mois de l'année chez moi. Si je le puis, j'effacerai de votre esprit les idées tristes et mélancoliques qu'un événement funeste y a fait naître. Nous philosopherons ensemble sur le néant de la vie, sur la folie des hommes, sur la vanité du stoïcisme et de tout notre être. Voilà des matières intarissables, et de quoi composer plusieurs in-folio. Faites, je vous prie, cependant, tous les efforts dont vous serez capable, pour qu'un excès de douleur n'altère point votre santé ; je m'y intéresse trop pour le supporter avec indifféren

MADAME ROLAND

Marie-Jeanne Philipon naquit à Paris le 18 mars 1754. Elle avait une intelligence très vive, et un esprit avide de tout connaître ; de bonne heure elle se livra à des lectures de toutes sortes ; elle dévora ainsi, avec hâte et sans méthode, les ouvrages les plus divers sciences, histoire, philosophie, littérature, elle fit le tour de tout ; elle s'intéressa aussi aux beaux-arts. Mais comme elle était d'une sensibilité ardente, parmi tant d'auteurs lus, c'est le sensible Rousseau qui la séduisit plus que tous. Elle se retrouvait en lui. Et nous le retrouvons dans les lettres d'elle sur *la Puissance du sentiment* (p. 175), sur *le Coucher du soleil* qu'elle admire de sa fenêtre (p. 176). Un jour elle lui écrivit, puis elle se présenta chez lui, mais le philosophe méfiant ne la reçut pas. Elle s'en retourna dépitée, mais non surprise, dit-elle ; quelques années plus tard elle visita du moins le cottage que le philosophe avait habité à Ermenonville.

En 1779 elle épousa M. Roland de la Platrière, inspecteur des manufactures, qui avait vingt ans de plus qu'elle ; leur union fut heureuse et paisible jusqu'au moment où les deux époux, également épris des idées nouvelles, se vouèrent à la politique ; la Gironde, dont ils étaient, fut décimée ; Mme Roland elle-même périt sur l'échafaud, et peu de jours après Roland, qui avait réussi à se cacher, se suicida.

Les lettres de Mme Roland n'ont pas la belle tenue litté-raire qu'ont la plupart de celles que nous avons réunies dans ce volume : son style est souvent déclamatoire ; elle écrit un peu comme elle a lu, avec abondance, avec ardeur, mais sans méthode stricte.

Cependant son âme se reflète avec fidélité dans cette correspondance que l'on peut bien qualifier de vivante et qui, à ce titre, est, elle aussi, d'un grand intérêt. Il n'en existe pas d'édition globale. Comme pour celle de Mirabeau, il faut puiser dans plusieurs recueils : *Lettres autographes de Mme Roland à M. Bancal des Issarts* (1835) ; *Lettres inédites... adressées aux demoiselles Cannet* (2 vol., 1841) ; *Lettres de Mme Roland à Buzot* dans le livre de M. C. Dauban : *Étude sur Mme Roland et son temp*s. Mme Roland a laissé aussi d'intéressants *Mémoires*.

PUISSANCE DU SENTIMENT

A MESDEMOISELLES CANNET (1)

3o janvier 1774.

O sentiment ! tu vivifies l'univers ; tu fais le caractère dis-
tinctif de l'homme : c'est par toi qu'il jouit de son être. Le
sentiment est dans le moral ce que le mouvement est dans le
physique. Sans ces deux phénomènes, on verrait dans chaque
ordre une uniformité pire encore que le chaos. Tous deux
décèlent l'auteur intelligent qui imprima l'un à la matière, et
doua de l'autre l'être formé à son image. La faculté d'aimer est le
plus noble privilège de l'homme. Ce goût naturel du bon, du
juste, de l'honnête, dévoile son origine et prouve son auteur.
Non, tous nos sentiments ne sont pas resserrés dans la
bassesse de l'intérêt et du moi personnel ! Il est des idées
innées de justice, un amour naturel du beau, que le méchant
même respecte intérieurement, lorsqu'il persécute la vertu.
Il est telles actions généreuses, telles qualités aimables, pour
lesquelles j'accorde mon estime et mon affection, sans que
l'intérêt personnel trouve son compte dans ce tribut. Oui,
quand la raison ne me démontrerait pas les absurdités des
matérialistes, mon cœur me ferait sentir leurs torts ; malgré
les raisonnements qu'ils accumulent, mon cœur se sent plus
noble qu'ils ne veulent l'avouer.

(1) Mlles Cannet (Sophie et Henriette) étaient deux amies de pension de
Mme Roland.

UN COUCHER DU SOLEIL

A MADEMOISELLE SOPHIE CANNET

Du 16 juillet 1776.

Il faut que je te fasse l'histoire d'une sensation que j'éprouvais ces jours passés ; je te retracerai d'abord un tableau qui t'est connu, mais il est besoin de le mettre sous tes yeux, parce que sa vue me pénétrait singulièrement, grâce à cette sensibilité qui me rend susceptible de mille nuances de situation, imperceptibles pour d'autres que pour moi. Tu sais que j'habite les bords de la Seine (1), vers la pointe de cette île où se voit la statue du meilleur des rois. Le fleuve qui vient de la droite laisse couler paisiblement devant ma demeure ses ondes salutaires ; la succession continue de ses flots épurés se trouve ralentie par le pont, qui sert de communication aux deux côtés de la ville. Après avoir franchi cet obstacle, le fleuve étend son lit, s'avance avec majesté, glorieux de voir sur ses rives ce Louvre dont l'architecture exquise fixe les regards enchantés. Il était huit heures et demie du soir ; après une forte application, je goûtais à ma fenêtre le repos et le frais ; je croyais m'apercevoir pour la première fois de la beauté de l'exposition ; j'invitais tout ce qui savait voir et sentir à venir admirer avec moi un ciel serein que coloraient les réverbérations brillantes du soleil disparu. Tu sais encore que vers la gauche, à cette distance où l'œil fatigué n'apercevrait rien qu'avec peine sur un plan parfaitement droit, des bornes agréables, heureusement placées, dessinent l'horizon, et ferment la perspective. Ce sont des arbres touffus et verts, entre lesquels on distingue les maisons les plus élevées de Chaillot. Eh bien, l'on eût dit que le roi du jour, descendu de son char derrière ces hauteurs, avait laissé suspendu au-dessus d'elles son manteau de couleur rouge et orangée. Cette couleur, enflammant un large espace de la voûte céleste, allait s'affaiblissant par degrés insensibles jusqu'à ce point de l'Orient, où elle était rem-

(1) A l'angle du Pont-Neuf et du quai des Lunettes, en face de la statue de Henri IV.

placée par la teinte sombre des vapeurs élevées, qui promettaient une rosée bienfaisante.

Le ciel brillait sans éblouir, il semblait s'étendre et se courber avec plus de grâce ; c'était l'instant où il est permis aux hommes de le contempler... Aucune étoile ne paraissait encore... J'aimais la solitude de cette vaste étendue où l'œil se promène et s'égare sans distraction et sans obstacle. Émue, ravie par ce tableau, dans le transport de l'enthousiasme je cherchais quelque chose d'intelligent et de sensible qui pût m'entendre et recevoir l'effusion de mon âme : je m'écriai : ô toi, dont mon esprit raisonneur va jusqu'à rejeter l'existence, mais que mon cœur souhaite et brûle d'adorer, première intelligence, suprême ordonnateur, Dieu puissant et tout bon, que j'aime à croire l'auteur de tout ce qui m'est agréable, accepte mon hommage... et... si tu n'es qu'une chimère... sois la mienne pour jamais !... Le crépuscule fit place à la nuit ; l'émotion s'apaisa : plus calme, je voulus m'appuyer sur la réflexion... hélas !... quel dommage que les sentiments ne soient pas des preuves !...

SUR L'ODYSSÉE

A MADEMOISELLE HENRIETTE CANNET

Dimanche, 21 juillet 1776, à neuf heures du soir.

J'ai promis, mon Henriette, de te communiquer mon opinion sur l'*Odyssée* : je vais répondre à ton désir. Ce poème est si différent de l'*Iliade* par sa nature, qu'il ne saurait produire des impressions semblables à celles qu'on reçoit de ce dernier ouvrage. Il ne m'a point fait autant de plaisir, mais dans la sagesse du plan, l'économie des détails, le rapport des épisodes, l'adresse des narrations, on reconnaît toujours Homère, et Homère plein de vigueur, d'âme et de sens. J'ai distingué des passages propres à causer l'émotion la plus vive, s'ils m'eussent été présentés avec la magie du vers, ainsi qu'ils doivent l'être dans l'original. Le style de Mme Dacier (1), quoique pur, exact et facile, ne me paraît pas toujours noble,

(1) Traducteur d'ouvrages grecs, et en particulier des œuvres d'Homère.

12

élevé, poétique, tel enfin que le demandait son sujet. Peut-être aussi était-il impossible de réunir ces qualités dans une traduction ; car je ne prétends pas rabaisser la gloire de cette femme judicieuse et savante.

Je n'ai point été choquée comme toi de certains détails qui t'effarouchaient ; j'avoue qu'Homère nous présente souvent ses héros à table ; mais la peinture des asiles que rencontre Ulysse dans ses voyages, et la manière dont on exerce envers lui l'hospitalité, intéressent si bien, que l'histoire de ses repas n'est plus une mesquinerie déplacée. D'ailleurs, ces libations, ces prémices de tous les animaux immolés, offertes aux dieux, donnent aux festins une dignité que n'ont pas les nôtres. L'opposition entre ces mœurs antiques et les mœurs modernes fait à nos yeux tout le singulier des premières ; en oubliant un instant nos usages, on voit dans ceux que décrit Homère une simplicité majestueuse qui plaît et occupe. Que j'aime ces maximes d'hospitalité, de générosité, d'amour pour les malheureux mises en action dans tout le cours du poème ! Avec quel plaisir j'ai suivi Ulysse chez le bonhomme Eumée, ce pasteur si fidèle, si plein de droiture ! Il y a de ces choses en apparence insignifiantes, qui montrent à la fois l'âme sensible d'Homère et son habileté à tirer parti de toutes les circonstances ; tel est le trait relatif à ce vieux chien qui reconnaît Ulysse entrant déguisé dans son palais, caresse son maître, et tombe mort à ses pieds. Rira qui voudra de cette anecdote, j'avoue qu'elle m'a touchée. Mme Dacier le rapporte tout bonnement ; si deux vers simples et heureux me l'eussent fait connaître, j'aurais pleuré tout à fait.

Je n'aime pas l'épisode du Cyclope ; j'ai de la répugnance pour cet œil crevé avec un morceau de bois affilé et durci au feu, qu'Ulysse fait tourner comme un vilebrequin... Il est vrai qu'Ulysse contait cela aux Phéaciens. D'ailleurs, l'imagination des Grecs, mère des fables, et si bien familiarisée avec elles, s'accommodait sans doute mieux que la mienne de semblables récits. Cette remarque suffit pour la justification d'Homère, pour qui je professe la plus grande admiration. Dans l'*Iliade*, voluptueux et terrible à la fois, il remue l'âme dans tous ses sens : dans l'Odyssée, plus paisible et non moins puissant, il attache par des peintures naïves, par une douce morale. Ces deux poèmes m'offrent les productions du génie le plus vaste et le plus savant, de l'imagination la plus riche, de l'âme la plus sensible ; ils sont enfin le monument, le miroir des mœurs qu'il est intéressant d'étudier et de connaître.

Voilà, ma bonne amie, ce que je pense d'Homère et ce que je dirais également devant ses détracteurs, ton frère fût-il du nombre.

VISITE A LA MAISON
DE JEAN-JACQUES ROUSSEAU

A M. BOSC (1)

Le 7 juin [1784].

Il y a bien longtemps, notre bon ami, que je n'ai eu le plaisir de m'entretenir avec vous ; mais j'ai tant à faire et tant à me reposer que je fais toujours sans finir de rien. Les jours passés à Crespy ont été très remplis, par l'amitié d'abord, puis la représentation et les courses.

Parmi ces dernières, celle d'Ermenonville n'a pas été la moins intéressante ; fort occupés de vous et des choses, nous avons joui de celles-ci en vous souhaitant pour les partager. Le lieu en soi, la vallée qu'occupe Ermenonville est la plus triste chose du monde ; sables dans les hauteurs, marécages dans les fonds ; des eaux troubles et noirâtres ; point de vue, par une seule échappée dans les champs sur des campagnes riantes ; des bois où l'on est comme enseveli, des prairies basses : voilà la nature. Mais l'art a conduit, distribué, retenu les eaux, coupé, percé les bois ; il résulte de l'une et de l'autre un ensemble attachant et mélancolique, des détails gracieux et des parties pittoresques. L'île des Peupliers, au milieu d'un superbe bassin, couronné de bois, offre l'aspect le plus agréable et le plus intéressant de tout Ermenonville, même indépendamment de l'objet qui y appelle les hommes sensibles et les penseurs. L'entrée du bois, la manière dont se présente le château et la distribution des eaux qui lui font face, forment le second aspect qui m'ait le plus frappée. J'ai trouvé avec plaisir quelques instructions gravées sur des

(1) Louis-Augustin-Guillaume Bosc (1759-1828), fils d'un médecin de Louis XV, montra beaucoup de goût pour la botanique et l'entomologie. Il était ami de Roland. Il fut admis à l'Institut en 1806.

pierres placées çà et là ; mais les ruines, les édifices, etc.,
élevés en différents endroits, ont généralement le défaut que
je reproche à presque toutes ces imitations dans les jardins
anglais ; c'est d'être faits trop en petit, et de manquer ainsi
la vraisemblance, ce qui touche au ridicule. Enfin Ermenonville ne présente pas ces beautés éclatantes qui étonnent le
voyageur, mais je crois qu'il attache l'habitant qui le fré-
quente tous les jours ; cependant si Jean-Jacques n'en eût pas
fait la réputation, je doute qu'on se fût jamais détourné pour
aller le visiter. Nous sommes entrés dans la chambre du
maître, elle n'est plus occupée par personne ; en vérité,
Rousseau était là fort mal logé, bien enterré, sans air, sans
vue : il est maintenant mieux placé qu'il ne fut jamais de
son vivant ; il n'était pas fait pour ce monde indigne.

A LA CAMPAGNE

AU MÊME

12 octobre 1785.

Eh ! bonjour donc, notre ami. Il y a bien longtemps que je
ne vous ai écrit ; mais aussi je ne touche guère la plume
depuis un mois, et je crois que je prends quelques-unes des
inclinations de la bête dont le lait me restaure : j'asine (1) à
force, et m'occupe de tous les petits soins de la vie *cochonne*
de la campagne. Je fais des poires tapées qui seront déli-
cieuses ; nous séchons des raisins et des prunes ; on fait des
lessives, on travaille au linge ; on déjeune avec du vin blanc,
on se couche sur l'herbe pour le cuver, on suit les vendan-
geurs, on se repose au bois ou dans les prés ; on abat des
noix ; on a cueilli tous les fruits d'hiver, on les étend dans
les greniers. Nous faisons travailler le docteur, Dieu sait !
Vous, vous le faites embrasser ; par ma foi, vous êtes un
drôle de corps.

Vous nous avez envoyé de charmantes relations qui nous
ont singulièrement intéressés ; en vérité vous devriez courir
toujours pour le grand plaisir de vos amis, et surtout ne pas
oublier de les visiter.

(1) Elle prenait du lait d'ânesse ; et comme l'ânesse elle ne s'occupait,
comme elle le dit, que des choses vulgaires de la campagne : elle *asinait*.

Adieu ; il s'agit de déjeuner, et puis d'aller en corps
cueillir des amandiers. Salut, santé et amitié par-dessus tout.

SUR LES ORATEURS
DE L'ASSEMBLÉE NATIONALE

A M. BANCAL DES ISSARTS (1)

Paris, le 7 mars 1791.

Voilà quinze jours que je respire mon air natal ; j'ai vu
de vieux parents, seuls débris d'une famille qui s'est presque
éteinte depuis dix ans ; j'ai été, à sept lieues d'ici, visiter
une digne femme dont l'amitié fut chère à ma jeunesse et
qui, dans la simplicité des mœurs champêtres, exerce
aujourd'hui mille vertus utiles à tout ce qui l'environne ;
j'ai repassé, avec un charme inconcevable, sur tous les lieux
où se sont écoulées mes premières années ; je me suis livrée
avec délices à cet attendrissement dont on aime à se trouver
capable, parce qu'effectivement on ne l'éprouve qu'autant
qu'on a préservé son âme du desséchement que produit
l'ambition, qu'entraînent les sollicitudes et les petites passions.

J'ai vu mon pays devenir libre, j'ai admiré tout ce qui
m'attestait cette liberté, et je n'ai plus regretté de n'être pas
née sous un autre gouvernement que le mien. Après mes
devoirs particuliers, mon premier empressement a été pour
cette Assemblée nationale qui a fait tant de choses, ou du
moins qui a revêtu du caractère de la loi tout ce que faisait
réellement la force des circonstances, et celle de l'opinion
publique. Si je n'avais pas été patriote, je le serais devenue
en assistant à ses séances, tant la mauvaise foi des noirs se
manifeste évidemment. J'ai entendu le subtil et captieux
Maury, qui n'est qu'un sophiste à grands talents ; le terrible
Cazalès, souvent orateur, mais souvent aussi comédien et
aboyeur ; le ridicule d'Epréménil, vrai saltimbanque, dont
l'insolence et la petitesse finissent par faire rire : l'adroit

---

(1) Bancal des Issarts (1750-1826). Il s'occupa en 1789-1790 de fonder à Paris la
Société des Amis de la Constitution ; c'est alors qu'il entra en relations avec
M. et Mme Roland dont il devint l'ami.

Mirabeau, plus amoureux d'applaudissements qu'avide du bien public ; les séduisants Lameth faits pour être des idoles du peuple, et, malheureusement, pour égarer celui-ci, s'ils n'étaient eux-mêmes surveillés ; le petit Barnave, à petite voix et petites raisons, froid comme une citrouille fricassée dans de la neige, pour me servir de l'expression plaisante d'une femme de l'autre siècle ; l'exact Chapelier, clair et méthodique, mais souvent à côté du principe. Que sais-je encore ? l'assemblée faible et se corrompant ; les nobles réunis par la complicité pour leurs intérêts, et les patriotes sans ensemble, sans concert pour le succès de la bonne cause. Cependant tout ira, je l'espère, par cette force et cette opinion qui ont tout commencé.

SUR UNE ENTENTE ENTRE GIRONDINS ET MONTAGNARDS (1)

A ROBESPIERRE

Paris, 23 août 1792, au soir.

J'ai désiré vous voir, monsieur, parce que, vous croyant un ardent amour pour la liberté, un entier dévouement au bien public, je trouvais à vous entretenir le plaisir et l'utilité que goûtent les bons citoyens en exprimant leurs sentiments, en éclairant leurs opinions. Plus vous me paraissiez différer sur une question intéressante avec des hommes dont j'estime les lumières et l'intégrité, plus il me semblait important de rapprocher ceux qui, n'ayant qu'un même but, devaient se concilier dans la manière de l'atteindre. Quand l'âme est fière, quand les intentions sont droites et que la passion dominante est celle de l'intérêt général, dépouillée de toute vue personnelle, de toute ambition cachée, on doit s'entendre sur les moyens de servir la chose publique.

Je vous ai vu, avec peine, persuadé que quiconque avec des

(1) Mme Roland avait tenté de convaincre Robespierre de la nécessité d'une union entre les Montagnards dont il était le chef et les Girondins dont elle était l'amie. Sa démarche ne réussit pas ; elle hâta même et aggrava entre les Girondins et Robespierre une rupture éclatante.

connaissances pensait autrement que vous sur la guerre n'était pas un bon citoyen.

Je n'ai point commis la même injustice à votre égard ; je connais d'excellents citoyens qui ont une opinion contraire à la vôtre, et je ne vous ai pas trouvé moins estimable pour voir autrement qu'eux. J'ai gémi de vos préventions, j'ai souhaité, pour éviter d'en avoir aucune moi-même, de connaître à fond vos raisons. Vous m'aviez promis de me les communiquer, vous deviez venir chez moi... vous m'avez évitée, vous ne m'avez rien fait connaître, et, dans cet intervalle vous soulevez l'opinion publique contre ceux qui ne voient pas comme vous. Je suis trop franche pour ne pas vous avouer que cette marche ne m'a pas paru l'être.

J'ignore qui vous regardez comme vos *ennemis mortels*, je ne les connais pas, et certainement je ne les reçois pas chez moi de *confiance*, car je ne vois à ce titre que des citoyens dont l'intégrité m'est démontrée et qui n'ont d'ennemis que ceux du salut de la France.

Rappelez-vous, monsieur, ce que je vous exprimais la dernière fois que j'ai eu l'honneur de vous voir : *soutenir la constitution, la faire exécuter avec popularité*, voilà ce qui me semblait devoir être actuellement la boussole du citoyen, dans quelque place qu'il se trouve. C'est la doctrine des hommes respectables que je connais, c'est le but de toutes leurs actions, et je regarde vainement autour de moi pour appliquer la dénomination d'*intrigants* dont vous vous servez.

Le temps fera tout connaître ; sa justice est lente, mais sûre ; elle fait l'espoir et la consolation des gens de bien. J'attendrai d'elle la confirmation ou la justification de mon estime, pour ceux qui en sont l'objet. C'est à vous, monsieur, de considérer que cette justice du temps doit à jamais éterniser votre gloire ou l'anéantir pour toujours.

Pardonnez-moi cette austérité d'expressions ; elle tient à celle des principes que je professe, des sentiments qui m'animent, et je ne sais jamais paraître que ce que je suis.

DÉSILLUSION

A M. BANCAL DES ISSARTS

9 septembre au soir 92.

Robespierre, Danton, Collet-d'Herbois, Billaut de Va-rennes et *Marat*, voilà les députés de Paris actuellement nommés.

On avait fait conduire à Versailles les prisonniers d'Orléans, pour éviter leur massacre à Paris, n'ayant pu obtenir leur translation à Saumur ; des commissaires, allés au-devant d'eux, s'étaient efforcés de rappeler les lois de la justice. Ce matin, ils arrivent à Versailles ; leur escorte fait arrêter les chariots qui les portaient, dans une grande rue ; ils barrent les routes et massacrent tout, sur les voitures mêmes. « Ce n'est pas, ajoutent froidement les tueurs, le dernier coup que nous ayons à faire. »

Cependant Marat signe et affiche tous les jours les plus affreuses dénonciations contre l'assemblée et le conseil : vous verrez qu'on immolera l'une et l'autre. Vous ne croirez cela possible qu'après l'action et vous en gémirez en vain.

Mon ami (1) Danton conduit tout ; Robespierre est son mannequin, Marat tient sa torche et son poignard ; ce farouche tribun règne et nous ne sommes que des opprimés, en attendant que nous tombions ses victimes.

Si vous connaissiez les affreux détails des expéditions ! Les femmes déchirées par ces tigres, les boyaux coupés, portés en rubans, des chairs humaines mangées sanglantes !... Vous connaissez mon enthousiasme pour la révolution, eh bien ! j'en ai honte ! Elle est ternie par des scélérats ! elle est devenue hideuse ! Dans huit jours.... que sais-je ? Il est avilissant de rester en place, et il n'est pas permis de sortir de Paris, on nous ferme pour nous égorger à l'instant le plus propice.

Adieu, faites comme *Louvet* à la Convention, faites-y comme

(1) Ironique. Elle le combattait au contraire depuis les massacres dans les prisons.

mon mari, si ce peut être encore un honorable moyen de salut ; s'il est trop tard pour nous, du moins sauvez le reste de l'empire des crimes de ces furieux.

SA CAPTIVITÉ

A M. BUZOT (1)

L'Ab. (2), 22 juin 1793.

Je suis venue ici, fière et tranquille, formant des vœux et gardant encore quelque espoir pour les défenseurs de la Liberté, lorsque j'ai appris le décret d'arrestation contre les vingt-deux ; je me suis écriée : mon pays est perdu ! J'ai été dans les plus cruelles transes jusqu'à ce que j'aie été assurée de ton évasion ; elles ont été renouvelées par le décret d'accusation qui te concerne ; ils devaient bien cette atrocité à ton courage ! Mais, dès que je t'ai su au Calvados, j'ai repris ma tranquillité. Continue, mon ami, tes généreux efforts ; Brutus désespéra trop tôt du salut de Rome aux champs de Philippes ; tant qu'un républicain respire, qu'il a sa liberté, qu'il garde son énergie, il doit, il peut être utile. Le Midi t'offre, dans tous les cas, un refuge ; il sera l'asile des gens de bien. C'est là, si les dangers s'accumulent autour de toi, qu'il faut tourner tes regards et porter tes pas ; c'est là que tu devras vivre, car tu pourras y servir tes semblables, y exercer des vertus.

Quant à moi, je saurai attendre paisiblement le retour du règne de la justice, ou subir les derniers excès de la tyrannie, de manière à ce que mon exemple ne soit pas non plus inutile. Si j'ai craint quelque chose, c'est que tu fisses pour moi d'imprudentes tentatives ; mon ami ! c'est en sauvant ton pays que tu peux faire mon salut, et je ne voudrais pas mon salut aux dépens de l'autre ; mais j'expirerais satisfaite en te sachant servir efficacement ta patrie. Mort, tourments, douleur, ne sont rien pour moi, je puis tout défier ; va, je vivrai jusqu'à

(1) Buzot (1760-1793), député de l'Eure à la Convention ; il fut l'un des chefs du parti girondin ; c'est lui qui accusa Robespierre d'aspirer à la dictature ; il fut décrété d'accusation, avec ses amis, dans la séance du 2 juin 1793, mais il put s'enfuir de Paris ; il tenta de soulever le Calvados.

(2) La prison de l'Abbaye.

ma dernière heure sans perdre un seul instant dans le trouble d'indignes agitations.

Au reste, quelle que soit leur fureur, ils ont encore une sorte de honte; mon mandat d'arrêt n'est point motivé; ils m'ont mise au secret verbalement, mais ils n'ont osé écrire les ordres rigoureux qu'ils ont donnés de bouche. Je dois à l'humanité de mes gardiens des facilités que je cache pour ne pas les compromettre; mais les bons procédés lient plus étroitement que des chaînes de fer, et je pourrais me sauver que je ne le voudrais point, pour ne pas perdre l'honnête concierge qui emploie tous ses soins à adoucir ma captivité. Beaucoup de personnes sont dans l'erreur à mon sujet et me croient à la Conciergerie. Le fait est que le lendemain de mon arrivée ici, il est sorti de ce lieu pour être transférée à l'autre une femme de mon nom; j'habite la chambre et le lit qu'elle occupait avant moi; je l'ai entrevue à son départ. Mon bon Plutarque, dont j'amuse mes loisirs, ne manquerait pas de trouver là des présages. C'était Angélique Désilles, femme de Roland de la Fauchaie, sœur de celui qui mourut glorieusement à Nancy, et qui a péri avant-hier sur l'échafaud, à vingt-quatre ans, avec un grand courage; son défenseur officieux est hors de lui-même et jure de l'innocence de cette victime, dont la figure douce et heureuse annonçait une belle âme. J'ai employé mes premières journées à écrire quelques notes qui feront plaisir un jour; je les ai mises en bonnes mains et je te le ferai savoir, afin que, dans tous les cas, elles ne te demeurent point étrangères. J'ai mon Thomson (1) (il m'est cher à plus d'un titre), Shaftesbury (2), un dictionnaire anglais, Tacite et Plutarque; je mène ici la vie que je menais dans mon cabinet chez moi, à l'hôtel ou ailleurs; il n'y a pas grande différence; j'y aurais fait venir un instrument si je n'eusse craint le scandale; j'habite une pièce d'environ dix pieds en carré; là, derrière les grilles et les verrous, je jouis de l'indépendance de la pensée, j'appelle les objets qui me sont chers, et je suis plus paisible avec ma conscience que mes oppresseurs ne le sont avec leur domination. Croirais-tu que l'hypocrite Pache (3) m'a dit qu'il était fort touché de ma situation : « Allez lui dire

---

(1) Thomson (1716-1743), poète anglais, auteur des *Saisons*.

(2) Shaftesbury (1671-1713), homme politique anglais, philosophe sceptique.

(3) Pache (1740-1823), ami de Danton. Il avait été ministre de la Guerre; il était à présent maire de Paris; il avait demandé la mise en accusation des Girondins.

que je ne reçois point cet insultant compliment, j'aime mieux être sa victime que l'objet de ses politesses ; elles me déshonoreraient. » Ce fut ma réponse. Tu verras ci-joint comme j'ai écrit à Garat (1) ; ce n'était pas la première, mais c'est bien mon *ultimatum*. Il n'y a rien à attendre de ces gens-là, il faut les mettre à leur place pour les y montrer à la postérité ; c'est tout ce que je prétends faire. Si je n'avais point écrit à la Convention le 1er juin, je n'aurais pas pris cette mesure plus tard ; j'ai empêché que R... (2) lui adressât rien depuis le 2 juin. Elle n'est plus Convention pour quiconque a des principes et du caractère ; je ne connais point d'autorité à Paris maintenant que je voulusse solliciter ; j'aimerais mieux pourrir dans mes liens que de m'abaisser ainsi. Les tyrans peuvent m'opprimer, mais m'avilir ? jamais, jamais ! Les scellés sont chez moi sur tous mes effets, linge et hardes, portes et fenêtres ; il n'y a qu'un petit coin de réservé pour mes gens ; la pauvre bonne dépérit à vue d'œil ; elle me soigne le cœur, je la fais pourtant rire quelquefois ; mes honnêtes gardiens la laissent entrer de temps en temps. Ils me font aussi, l'après-dîner, passer dans leur chambre qu'ils n'habitent point alors et où j'ai plus d'air que dans la mienne.

Ma fille a été recueillie par une mère de famille respectable qui s'est empressée de la mettre au nombre de ses enfants, la femme de l'honnête Creuzé La Touche....

DERNIER ADIEU

A SA FILLE

18 octobre 1793.

Je ne sais, ma petite amie, s'il me sera donné de te voir ou de t'écrire encore. *Souviens-toi de ta mère*. Ce peu de mots renferme tout ce que je puis te dire de meilleur. Tu m'as vue heureuse, par le soin de remplir mes devoirs et d'être utile à ceux qui souffrent. Il n'y a que cette manière de l'être

---

(1) Dominique-Joseph, comte Garat (1749-1833), avocat, écrivain élégant, auteur d'éloges de Suger, de Montausier, de Fontenelle, qui furent couronnés par l'Académie française. Député du pays basque à la Convention ; il servait, comme Pache, la politique de Danton contre la Gironde.

(2) Roland.

Tu m'as vue paisible dans l'infortune et la captivité, parce que je n'avais pas de remords, et que j'avais le souvenir et la joie que laissent après elles les bonnes actions. Il n'y a que ces moyens non plus de supporter les maux de la vie et les vicissitudes du sort.

Peut-être, et je l'espère, tu n'es pas réservée à des épreuves semblables aux miennes ; mais il en est d'autres dont tu n'auras pas moins à te défendre. Une vie sévère et occupée est le premier préservatif de tous les périls, et la nécessité, autant que la sagesse, t'impose la loi de travailler sérieusement.

Sois digne de tes parents : ils te laissent de grands exemples, et si tu sais en profiter, tu n'auras pas une inutile existence.

Adieu, enfant chérie, toi que j'ai nourrie de mon lait et que je voudrais pénétrer de tous mes sentiments. Un temps viendra où tu pourras juger de tout l'effort que je me fais en cet instant pour ne pas m'attendrir à ta douce image. Je te presse sur mon sein.

Adieu, mon Eudora.

CATHERINE II

Née le 25 avril 1729, impératrice de Russie en 1762, elle mourut le 9 novembre 1796. Comme Frédéric II elle a montré un puissant génie politique, comme lui elle a eu le goût des choses de l'esprit ; comme lui elle a recherché les relations avec les principaux philosophes français de son temps ; et comme lui, elle a correspondu avec eux dans notre langue. Elle ne l'a pas écrite avec la maîtrise qui fait de Frédéric II un véritable écrivain français, mais son style souvent négligé, gauche souvent, ne manque ni de pittoresque ni même d'esprit. Elle a écrit beaucoup à Voltaire et à Grimm. On trouvera ses lettres à Voltaire dans la *Correspondance* de ce dernier. Ses *Lettres à Grimm* ont été publiées en 1878 à Saint-Pétersbourg, par les soins de la Société impériale d'histoire russe, sous la direction de M. Grote, qui avait publié déjà en 1876 la *Correspondance de Catherine II et de Falconet*.

SUR LA PROSPÉRITÉ DE SON EMPIRE

A VOLTAIRE

3-14 juillet 1769, à Pétersbourg.

Vous me dites, monsieur, que vous pensez comme moi sur différentes choses que j'ai faites et que vous vous y intéressez. Eh bien, monsieur, sachez que ma belle colonie de Saratow monte à 27 000 âmes et qu'en dépit du gazetier de Cologne elle n'a rien à craindre des incursions des Tartares, Turcs, etc. ; que chaque canton a des églises de son rite, qu'on y cultive les champs en paix, et qu'ils ne paieront aucune charge de trente ans.

Que nos charges sont d'ailleurs si modiques qu'il n'y a pas de paysan qui ne mange en Russie une poule quand il lui plaît, et que, depuis quelque temps, ils préfèrent les dindons aux poules ; que la sortie du blé, permise avec certaines restrictions qui précautionnent contre les abus sans gêner le commerce, ayant fait hausser le prix du blé, accommode si bien le cultivateur que la culture augmente d'année en année, que la population est pareillement augmentée d'un dixième dans beaucoup de provinces depuis sept ans. Nous avons la guerre, il est vrai, mais il y a bien du temps que la Russie fait ce métier-là, et qu'elle sort de chaque guerre plus florissante qu'elle n'y est entrée.

Nos lois vont leur train ; on y travaille tout doucement. Il est vrai qu'elles sont devenues causes secondes, mais elles n'y perdront rien. Ces lois seront tolérantes ; elles ne persécuteront, ne tueront ni ne brûleront personne. Dieu nous garde d'une histoire pareille à celle du chevalier de la Barre ! On mettrait aux Petites-Maisons les juges qui oseraient y procéder. Notez que Pierre le Grand a mis les fous à Moscou dans un bâtiment qui était autrefois un couvent de moines.

Si la guerre diversifie mon travail, comme vous l'observez, cependant mes établissements ne s'en ressentiront point.

CAUSERIE

A GRIMM

A Peterhof, ce 8 juin 1778.

A peine ai-je eu le temps de répondre à votre numéro 17 que voilà la pancarte énorme numéro 18 qui m'arrive. Quand j'ai vu cela, j'ai dit : Madame la pancarte, pour aujourd'hui, suffit de vous lire : la réponse après. Mais, s'il vous plaît, qu'est-ce que vous avez tant à faire avec ce 2 de mai, ce 21 d'avril, vieux style, nouveau style ? Tout cela revient au même, et du jour de ma naissance encore il y a si longtemps de cela que tous ceux qui y ont assisté sont morts et enterrés : ma nourrice mourut l'année passée ; je la craignais comme le feu, les visites des rois et des personnages renommés ; dès qu'elle me voyait, elle s'emparait de ma tête et elle me baisait et rebaisait à m'étouffer. Avec cela elle puait le tabac à fumer, dont M. son mari faisait un ample usage. (Mais attendez un peu, voilà qu'on m'empêche d'écrire.)

Je reprends la plume. Radotons un peu ; puisqu'il s'est agi de nourrice, savez-vous pourquoi je crains la visite des rois ? C'est parce qu'ordinairement ce sont des personnages ennuyeux, insipides, et qu'il faut se tenir droit et roide de corps ; les personnages renommés tiennent encore mon naturel en respect ; je veux avoir avec eux de l'esprit comme quatre ; quelquefois avec eux je mets cet esprit comme quatre à les écouter, et comme j'aime à jaser, le silence m'ennuie. Tenez, *la* voilà toute crachée ! Je veux parier que vous vous extasieriez devant cette page qui radote, car j'ai remarqué que vous aimez précisément celles de mes lettres dont je ne fais aucun cas et dont Mme Cardel dirait qu'elles n'ont pas le sens commun. Mais j'ai envie de radoter aujourd'hui. Vous me dites : *Quelle bonté !* Réponse : cela se peut. — Dialogue d'un baron allemand et de moi : Le baron all. : Quel mélange de grandeur, de sentiment et de caractère, de gaîté et de cette bonté, etc. — Moi : De la gaîté ! C'est mon fort. De cette bonté ! Quand le cœur est bon, il fourre cela partout ; quand il est mauvais, cela se sent partout aussi ; jamais je n'ai vu une page écrite sans dire si son auteur a bon ou mauvais cœur.

Tout candidat à évêché qui prêche devant moi, est choisi non d'après son éloquence ou sa science, mais d'après ce que nous avons découvert de sa bonté de cœur dans son narré ; il a beau faire, cela ne saurait échapper, parce que cela se fourrerait, sans qu'on le sente ou le veuille, partout, partout ; aussi nous avons collection d'évêques rares à trouver partout ailleurs. Encore faut-il les choisir dans un état contre nature : l'état de moine ; mais saint Alexandre Nevski le devint aussi, et saint Alexandre Nevski avait des vertus héroïques, qui feront qu'un jour je ferai son panégyrique, parce que je n'ai encore jamais été contente de celui que j'ai entendu prononcer le jour de sa fête ; je ferai réciter ce panégyrique lorsque M. Alexandre sera en âge de prendre sa part sans qu'on la lui fasse dans un panégyrique. Je ne me soucie guère qu'il ait des sœurs, mais il lui faut un cadet, et c'est sti-là dont je ferai l'histoire, supposé, s'entend, qu'il ait l'habileté de César, la capacité d'Alexandre ; car si c'est un pauvre sire, je crierai : donnez-m'en un troisième, etc. Les filles seront toutes très mal mariées, car rien ne sera plus malheureux et plus insupportable qu'une pr. de R. (1). Elles ne sauront s'accommoder à rien, tout leur paraîtra mesquin ; elles seront aigres, acariâtres, critiqueuses, belles, inconséquentes, se mettant au-dessus des préjugés, de l'étiquette, du qu'en dira-t-on ; elles auront sans doute leurs chalands, mais tout cela donnera dans des travers sans nombre et la pire de toutes sera Mlle Catherine : son nom fera qu'elle aura plus de travers que ses sœurs. Avec tout cela, faire se peut qu'elles seront recherchées ; j'aurais envie de remédier à tout cela en les nommant, fussent-elles dix, du nom de la Vierge Marie ; cela ferait, selon moi, qu'elles se tiendraient droites, qu'elles auraient soin de leur taille et de leur teint, qu'elles mangeraient comme quatre, qu'elles choisiraient avec prudence leurs livres et qu'elles parviendraient enfin au titre d'excellentes citoyennes partout où elles seraient.

(1) Princesse de Russie.

VOLTAIRE

AU MÊME

A Tsarskoé-Sélo, ce 21 juin 1778.

Hélas! je n'ai que faire de vous détailler les regrets que j'ai sentis à la lecture de votre numéro 19. Jusque-là j'espérais que la nouvelle de la mort de Voltaire était fausse, mais vous m'en avez donné la certitude, et tout de suite je me suis senti un mouvement de découragement universel et d'un très grand mépris pour toutes les choses de ce monde. Le mois de mai m'a été très fatal : j'ai perdu deux hommes que je n'ai jamais vus, qui m'aimaient et que j'honorais — Voltaire et Chatam ; longtemps, longtemps et peut-être jamais, surtout le premier, ne seront-ils remplacés par des égaux, et jamais par des supérieurs, et pour moi ils sont irréparablement perdus ; je voudrais crier. Mais est-il possible qu'on honore et déshonore, qu'on raisonne et déraisonne aussi supérieurement quelque part que là où vous êtes ? On a honoré publiquement, il y a peu de semaines, un homme qu'aujourd'hui on n'ose y enterrer, et quel homme ! Le premier de la nation et dont ils ont à se glorifier bien et dûment. Pourquoi ne vous êtes-vous point emparé, vous, de son corps, et cela en mon nom ? Vous auriez dû me l'envoyer, et morgué ! vous avez manqué de tête pour la première fois dans votre vie en ce moment ; je vous promets bien qu'il aurait eu la tombe la plus précieuse possible ; mais si je n'ai point son corps, au moins ne manquera-t-il pas de monument chez moi. Quand je viendrai en ville cet automne, je rassemblerai les lettres que ce grand homme m'a écrites, et je vous les enverrai. J'en ai un grand nombre, mais s'il est possible, faites l'achat de sa bibliothèque et de tout ce qui reste de ses papiers, inclusivement mes lettres. Pour moi, volontiers je paierai largement ses héritiers, qui, je pense, ne connaissent le prix de tout cela.

CAGLIOSTRO EN RUSSIE

AU MÊME

Ce 9 juillet [1781].

Puisque vous me parlez du charlatan Cagliostro, il faut
que je vous en parle aussi. Il est venu ici se disant colonel
au service d'Espagne et espagnol de naissance, faisant entendre qu'il était sorcier, maître sorcier, faisant voir des
esprits et les ayant à sa disposition. Quand j'ai entendu cela,
j'ai dit : Cet homme a eu grand tort de venir ici ; nulle part
il ne réussira moins qu'en Russie ; on n'y brûle point les sorciers, et, depuis vingt ans de règne, il n'y a eu qu'une seule
affaire où on prétendait qu'il y avait des sorciers, et alors le
sénat a demandé à les voir, et lorsqu'on les a amenés ils ont
été déclarés bêtes et parfaitement innocents. M. Cagliostro
est arrivé cependant dans un moment très favorable pour
lui, dans un moment où plusieurs loges de francs-maçons,
engouées des principes de Swedenborg, voulaient à toute
force voir des esprits ; ils ont donc couru à Cagliostro, qui se
disait en possession de tous les secrets du Dr Falk, ami intime
du duc de Richelieu, et qui lui a fait faire au milieu de Vienne
autrefois un sacrifice au bouc noir, mais par malheur pour
lui il n'a pu satisfaire la curiosité de ceux qui voulaient tout
voir, tout tâter là où il n'y avait ni à voir, ni à tâter. M. Cagliostro alors a produit ses merveilleux secrets à guérison ; il
a prétendu tirer de l'argent vif du pied d'un goutteux, et il
a été pris sur le fait d'avoir versé une cuillerée d'argent vif
dans l'eau dans laquelle il a fait mettre ce goutteux. Puis il
a produit des teintures qui n'ont teint rien, et des opérations
chimiques qui n'ont rien opéré. Après quoi il a eu une longue
et épineuse querelle avec le chargé d'affaires d'Espagne, qui
lui disputait son titre et sa qualité d'Espagnol, après quoi l'on
a découvert qu'à peine savait-il lire et écrire. Enfin, criblé
de dettes, il s'est réfugié dans la cave de M. Yélaguine, maître
en chaire déposé ou dépossédé, où il a bu autant de cham-
pagne et de bière d'Angleterre qu'il a pu ; apparemment qu'un
jour il a dépassé la mesure ordinaire, car en sortant du repas

il s'est accroché dans le toupet du secrétaire de la maison ; celui-ci lui a flanqué un soufflet ; de soufflet en soufflet les coups de poing s'en sont mêlés. M. Yélaguine, ennuyé et du frère rat de cave, et de la trop grande dépense de vin et de bière, et des plaintes du secrétaire, lui a poliment persuadé de s'en aller en kibitka, et non par les airs, comme il en menaçait, et pour que les créanciers ne missent aucun embarras au passage de cet équipage leste, il donna un vieux invalide pour l'accompagner avec Mme la comtesse jusqu'à Milan. Voilà l'histoire de Cagliostro, dans laquelle il y a de tout excepté du merveilleux. Je ne l'ai jamais vu ni de loin ni de près, ni n'ai eu aucune tentation de le voir, parce que je n'aime nullement les charlatans.

UN VOYAGE A MOSCOU

AU MÊME

A Tver, 1er juin 1785.

J'allais de Pétersbourg (dont je suis partie le 24 mai) voir les communications d'eau qui y mènent les provisions de bouche et les marchandises ; l'ambassadeur de l'empereur, le ministre de France et celui d'Angleterre, désirant de faire la même tournée, étaient dans ma suite. Nous allions sur la grande route de Moscou fort gaiement et en parfaite santé, malgré les gazettes, pour nous rendre à Borovitchi, lieu où nous devions nous embarquer. Arrivés à Vichnii Volotchok, voilà que le comte Bruce (1) nous arrive de Moscou ; il se met à nous prêcher de pousser plus loin et de lui rendre visite dans Moscou ; personne ne l'écoute ; il continue : « Quelle folie ! comment, jusqu'à Moscou ? — Oui, jusqu'à Moscou. — Et où trouver des chevaux ? — C'est mon affaire. — Nous voulons dîner, souper, dit la compagnie. — Vous trouverez tout cela, » fut la réponse. On commence à se faire à l'idée, on commence à en être tenté : tout le monde trouve cela charmant ; on succombe à la tentation ; le comte Bruce se jette dans son carrosse et part comme un éclair. Nous le suivons, et nous

(1) Le comte Jacob Alexandrowich Bruce, qui était alors gouverneur de Moscou.

voilà à Tver par le plus beau temps du monde et par un pays et des situations tout à fait riantes ; l'ambassadeur, les envoyés de France et d'Angleterre vont à tour de rôle avec moi dans mon carrosse à six places ; il sont tous trois très accommodants, très instruits, n. b. très gais ; le prince Potemkine, le comte Tchernichef, le grand chambellan, le grand écuyer, le comte d'Anhalt et plusieurs autres personnes, en tout seize personnes, composant ma suite, et c'est à qui égayera le plus la compagnie. Nous partons aujourd'hui dimanche après la messe pour Moscou ; nous y resterons deux à trois jours, et retournerons pour nous embarquer à Borovitchi et pour débarquer à Pétersbourg. Que dites-vous de cette escapade et que diront les gazettes et les boutonnés (1) qui me disent mourante ?

Ce 14 juin. — Me voilà de retour de Moscou et embarquée depuis deux fois vingt-quatre heures sur la rivière Msta, qui doit nous mener demain ou après-demain à Novgorod, par le lac Ilméne, d'où nous entrerons dans la rivière Volkhof, laquelle nous jettera dans le canal de Ladoga, d'où nous entrerons dans la Néva et irons débarquer à Pétersbourg. Vous pouvez juger des dispositions de la compagnie qui est avec moi par la belle production ci-jointe, qui a été composée en conséquence. Il faut rendre justice à M. de Ségur (2) : il est difficile d'être plus aimable et d'avoir meilleur esprit ; il paraît se plaire avec nous et il est gai comme un pinson. Il nous a fait vers et chansons, et nous lui avons donné de la mauvaise prose. Le prince Potemkine est à mourir de rire pendant tout ce voyage, et il paraît que tout se met en quatre pour y contribuer. Nous avons le plus beau temps et des situations charmantes.

Le 20 juin, de Péterhof. — Nous sommes revenus avant-hier par la rivière Néva en bateau jusqu'à Pétersbourg, et hier je suis venue par terre ici ; l'ambassadeur et les ministres d'Angleterre et de France ont été remis à leurs hôtels respectifs en ville ; morgué ! ils auraient été jusqu'au bout du monde avec moi, si j'avais voulu. Si la France a beaucoup de gens comme M. de Ségur, je l'en félicite : au mérite, à l'esprit, aux talents, aux connaissances il joint la noblesse du sentiment et l'amabilité ; c'est une justice qu'il faut lui

(1) Colporteurs de nouvelles qui font les mystérieux.
(2) Le comte Louis-Philippe de Ségur (1753-1830), ambassadeur de France en Russie.

rendre ; il paraît aimer et estimer le marquis de La Fayette ; il espère qu'il viendra ici ; si celui-ci le veut, ce sera une fort agréable connaissance à faire.

Notez, s'il vous plaît, que nous avons emmené l'envoyé d'Angleterre malade ; il ne dormait et ne mangeait depuis plusieurs mois ; on craignait même qu'une mélancolie sinistre ne s'emparât de lui ; et nous le ramenons guéri : il dort, il mange, il rit aux éclats et s'occupe à faire rire les autres ; il a repris couleurs et est engraissé. Faites-moi part de ce que vous apprendrez qu'on dira du voyage le plus gai qu'on ait jamais fait, je crois. Selon vos ordres, voilà le second courrier des trois mois qui va partir.

Or, il faut que je vous dise que durant tout mon voyage, pendant que j'ai fait à l'entour de mille deux cents verstes par terre et six cents verstes par eau, j'ai trouvé un changement étonnant dans tout le pays que j'avais vu et pas vu ; où il y avait de méchants hameaux, j'ai trouvé de belles villes très bien bâties en briques et en pierres ; où il n'y avait point de hameaux, j'ai trouvé de grands villages, et en général un bien-être et un mouvement de commerce au delà de mes espérances. On me dit que c'est la suite des arrangements que j'ai faits et qui s'exécutent à la lettre depuis dix ans, et moi je dis voyant cela : j'en suis bien aise. Cela n'est pas bien spirituel, *ma* (1) cela est vrai.

(1) *Mais*, en italien.

LE PRINCE DE LIGNE

Charles-Joseph, prince de Ligne, issu d'une ancienne et illustre famille des Pays-Bas, naquit le 12 mai 1735, entra à dix-sept ans dans l'armée autrichienne, séjourna quelques années à la cour de Russie comme ambassadeur, suivit Catherine II dans son voyage en Crimée, prit part aux campagnes de Potemkin contre les Turcs, et mourut en 1814 à Vienne, pendant les fêtes du Congrès. Il avait le grade de feld-maréchal de l'armée autrichienne.

Il voyagea beaucoup, il vint souvent à Paris ; il fut accueilli dans les salons les plus célèbres ; c'était le plus agréable des causeurs. Il fut le plus spirituel des épistoliers. « C'est, dit Mme de Staël, le seul étranger qui, au lieu d'être imitateur, devint un modèle. » Il est, en effet, absolument français. Nul Français ne l'est plus que lui. Dans ce frivole XVIII⁰ siècle, où l'on rencontre beaucoup de personnages aimables, légers et souriants, il est l'un des plus intéressants. On l'a appelé « le La Rochefoucauld de la frivolité ». C'est qu'il était autre chose qu'un homme de salon ; il était diplomate aussi et homme de guerre, et écrivain par-dessus tout, et même écrivain fécond. Ses œuvres forment plus de quarante volumes. Leur titre de *Mélanges littéraires, militaires et sentimentaires* fait soupçonner leur variété ; le prince de Ligne s'intéressait à tout, et causait de tout, car ses ouvrages sont encore une conversation abondante, prolixe parfois. On jugera de l'agrément qu'elles peuvent offrir par les quelques lettres ci-après.

UNE CONVERSATION
AVEC LE GRAND FRÉDÉRIC

AU ROI DE POLOGNE (1)

1785.

Vous m'avez ordonné, sire, de vous entretenir d'un des plus grands hommes de ce siècle. Vous l'admirez, quoique son voisinage vous ait fait assez de mal ; et, vous plaçant à la distance de l'histoire, tout ce qui tient à ce génie extraordinaire vous inspire une noble curiosité. Je vais donc vous rendre un compte exact des moindres paroles que j'ai entendu dire moi-même au grand Frédéric.

Rien n'est indifférent dans un tel réat, puisque tout sert à peindre le caractère. L'homme dont je parle et celui à qui je m'adresse donneront de l'intérêt à tout ce que je raconterai (2).....

— *Vous parliez tantôt des Français, font-ils des progrès ?*

— Ils sont capables de tout, en temps de guerre, sire ; mais pendant la paix on veut qu'ils ne soient pas ce qu'ils sont, et on veut qu'ils soient ce qu'ils ne peuvent pas être.

— *Mais quoi ? disciplinés ? ils l'étaient du temps de M. de Turenne.*

— Ah ! ce n'est pas cela : ils ne l'étaient pas du temps de M. de Vendôme, et n'en gagnaient pas moins de batailles ; mais on veut qu'ils soient vos singes et les nôtres, et cela ne leur va pas.

— *C'est ce qui me semble ; j'ai déjà dit de leurs faiseurs qu'ils veulent chanter sans savoir la musique.*

— Oh ! cela est bien vrai ; mais qu'on leur laisse leurs sons naturels, qu'on profite de leur valeur, de leur légèreté et de

---

(1) Stanislas-Auguste Poniatowski (1732-1798). Ce fragment rapporte une première conversation du prince de Ligne avec le grand Frédéric en 1785. Il en eut une deuxième en 1786 sur des sujets divers.

(2) « Tout ce qui est imprimé en caractères italiques, c'est du roi ; le reste, en caractères romains, c'est de moi. » (*Note du prince de Ligne.*)

leurs défauts même : je crois que leur confusion en pourrait mettre dans l'ennemi.

— *Mais oui, sans doute, et qu'on les fasse soutenir.*

— Je le crois, sire ; par les Suisses et les Allemands.

— *C'est une brave et aimable nation que ces Français ; il est impossible de ne pas les aimer ; mais, mon Dieu, qu'ont-ils fait de leurs gens de lettres ? et quelle différence de ton parmi eux ! Voltaire en avait un excellent, par exemple ; d'Alembert, que j'estime à bien des égards, fait trop de bruit et veut faire trop d'effet dans la société. Étaient-ce les gens de lettres qui donnaient de la grâce à la cour de Louis XIV, ou la recevaient-ils de tant de gens aimables qui la composaient ? C'était le patriarche des rois, celui-là. On en dit quelquefois un peu trop de bien pendant sa vie, mais beaucoup trop de mal après sa mort.*

— Un roi de France, sire, est toujours le patriarche des gens d'esprit.

— *Voilà le plus mauvais lot ; ils ne valent pas le diable à gouverner. Il vaut mieux être patriarche des Grecs, comme ma sœur l'impératrice de Russie. Cela lui rapporte et rapportera davantage. Voilà une religion, celle-là, qui comprend tant de pays et de nations différentes. Pour nos pauvres luthériens, il y en a si peu, que cela ne vaut pas la peine d'être leur patriarche.*

— Cependant, sire, si l'on y réunissait les calvinistes et toutes les petites sectes bâtardes, ce serait un assez joli poste.

— Le roi parut prendre feu à cela et ses yeux s'animèrent. Cela ne dura pas quand je lui dis : Si l'empereur était le patriarche des catholiques, la place aussi ne serait pas mauvaise.

— *Fort bien ; voilà l'Europe partagée entre trois patriarches,* dit-il en riant ; *j'ai tort d'avoir commencé ; voyez où cela nous mène ; il me semble que nos rêves ne sont pas comme ceux de l'homme de bien, ainsi que disait M. le Régent. Si Louis XIV vivait, il nous remercierait.*

Toutes ces idées patriarcales, possibles ou impossibles à réaliser, lui donnèrent un instant un air pensif et presque de l'humeur.

— *Louis XIV ayant plus de jugement que d'esprit, cherchait plutôt l'un que l'autre. C'était des hommes de génie qu'il voulait et qu'il trouvait. On ne pouvait pas dire que Corneille, Bossuet, Racine et Condé fussent des hommes d'esprit.*

— Il y a tout, sire, dans ce pays-là qui mérite réellement d'être heureux. On prétend que Votre Majesté a dit que si l'on voulait faire un beau rêve il faudrait...

— *Oui, c'est vrai, être roi de France.*

— Si François Ier et Henri IV étaient venus au monde après Votre Majesté ils auraient dit : être roi de Prusse.

— *Dites-moi, je vous prie, n'y-a-il donc plus personne à citer en France ?*

Cela me fit rire ; le roi me demanda pourquoi. Je lui dis que cela me faisait penser au Russe à Paris, cette charmante petite pièce de vers de M. de Voltaire, et nous nous en rappelâmes des choses charmantes, qui nous firent rire tous les deux.

Il me dit : — *J'ai quelquefois entendu parler du prince de Conti. Quel homme est-ce ?*

— C'est, lui dis-je, un composé de vingt ou trente hommes. Il est fier, il est affable, ambitieux et philosophe tour à tour, frondeur, gourmand, paresseux, noble, crapuleux, l'idole et l'exemple de la bonne compagnie ; n'aimant la mauvaise que par un libertinage de tête, mais y mettant beaucoup d'amour-propre ; généreux, éloquent, le plus beau et le plus majestueux des hommes ; une manière et un style à lui, bon ami, franc, aimable, instruit, aimant Montaigne et Rabelais, ayant quelquefois leur langage, tenant un peu de M. de Vendôme et du grand Condé ; voulant jouer un rôle, mais n'ayant pas assez de tenue dans l'esprit ; voulant être craint et n'étant qu'aimé ; croyant mener le Parlement et être un duc de Beaufort pour le peuple, peu considéré de l'un et peu connu de l'autre ; propre à tout et capable de rien. Cela est si vrai, ajoutai-je, que sa mère disait un jour de lui : Mon fils a bien de l'esprit. Oh ! il en a beaucoup ; on en voit d'abord une grande étendue, mais il est en obélisque ; il va toujours en diminuant à mesure qu'il s'élève, et finit par une pointe comme un clocher. — Ce portrait parut amuser le roi. Il fallait le captiver par quelque détail un peu piquant ; sans cela il vous échappait ou ne vous donnait plus le temps de parler.

VOYAGE EN CRIMÉE (1)

A MADAME LA MARQUISE DE COIGNY (2)

De Kiovie, 1787.

Savez-vous pourquoi je vous regrette, madame la Marquise ?
C'est que vous n'êtes pas une femme comme une autre, et
que je ne suis pas un homme comme un autre, car je vous
apprécie mieux que ceux qui vous entourent. Et savez-vous
pourquoi vous n'êtes pas une femme comme une autre ? C'est
que vous êtes bonne, quoique bien des gens ne le croient pas.
C'est que vous êtes simple, quoique vous fassiez toujours de
l'esprit, ou plutôt que vous le trouviez tout fait. C'est votre
langue : on ne peut pas dire que l'esprit est dans vous ; mais
vous êtes dans l'esprit. Vous ne courez pas après l'épigramme :
c'est elle qui vient vous chercher. Vous serez, dans cinquante ans,
une Madame du Deffand pour le piquant, une Madame Geoffrin
pour la raison, et une maréchale de Mirepoix pour le goût. A
vingt ans vous possédez le résultat des trois siècles qui composent l'âge de ces dames. Vous avez la grâce des élégantes,
sans en avoir pris l'état. Vous êtes supérieure, sans alarmer
personne que les sots. Il y a déjà autant de grands mots de
vous à citer, que de bons mots. Ne point prendre d'amants
parce que ce serait abdiquer est une des idées les plus profondes et les plus neuves. Vous êtes plus embarrassée qu'em-
barrassante ; et quand l'embarras vous saisit, un certain
petit murmure rapide et abondant l'annonce le plus drôlement
du monde : comme ceux qui ont peur des voleurs chantent
dans la rue. Vous êtes la plus aimable femme et le plus joli
garçon, et enfin ce que je regrette le plus.

Ah ! bon Dieu ! quel train ! quel tapage ! que de diamants,
d'or, de plaques et de cordons, sans compter le Saint-Esprit !
Que de chaînes, de rubans, de turbans et de bonnets rouges,

(1) A la suite de Catherine II.
(2) Louise-Marthe de Conflans d'Armentières qui avait épousé le marquis de
Coigny. Elle avait infiniment d'esprit et de grâce. On rapporte à son propos
ce mot de Marie-Antoinette : « Je ne suis que la reine de Versailles ; c'est
Mme de Coigny qui est la reine de Paris. » Cette femme charmante mourut
en 1832.

fourrés ou pointus ! ceux-ci appartiennent à de petits magots qui remuent la tête comme ceux de votre cheminée, et qui ont le nez et les yeux de la Chine. Ils s'appellent des Lesghis, et sont venus en députation, ainsi que plusieurs autres sujets, des frontières de la grande muraille de cet empire chinois et de celui de Perse et de Byzance. C'est un peu plus imposant que quelques députés du Parlement, ou des États d'une petite ville qui viennent de vingt lieues, par le coche, à Versailles, pour faire une sotte représentation.

Louis XIV aurait été jaloux de sa sœur Catherine II ou il l'aurait épousée pour avoir tout au moins un beau lever. Les fils des rois du Caucase, d'Héraclius, par exemple, qui sont ici lui auraient fait plus de plaisir que cinq ou six vieux chevaliers de Saint-Louis. Vingt archevêques, quoiqu'un peu malpropres, avec des barbes presque jusqu'aux genoux, sont plus pittoresques que le petit-collet d'un aumônier du Roi. L'escorte d'oulans (1) d'un grand seigneur polonais qui va voir son voisin à une demi-lieue de chez lui, a meilleur air que les Hoquetons à cheval qui précèdent le triste carrosse et les six rosses d'un homme à rabat et à grande perruque : et les sabres étincelants, avec des poignées en pierreries, sont plus imposants que les gaules blanches des grands officiers du roi d'Angleterre.

L'Impératrice m'a reçu, comme si, au lieu de six ans, je ne l'avais quittée de six jours. Elle m'a rappelé mille choses dont les souverains seuls peuvent se ressouvenir : car ils ont tous de la mémoire.

Il y en a ici pour tout le monde, pour tous les genres : grande et petite politique ; grandes et petites intrigues ; grande et *petite Pologne*. Quelques fameux de ce pays-là qui se trompent, que l'on trompe, ou qui en trompent d'autres, tous fort aimables, moins cependant que leurs femmes, veulent être sûrs que l'Impératrice ne sait pas qu'ils l'ont insultée dans les aboiements de la dernière diète. Ils cherchent un regard du prince Potemkin, difficile à rencontrer : car le prince tient du borgne et du louche. Les femmes sollicitent le ruban de Sainte-Catherine, pour l'arranger avec coquetterie et faire enrager leurs amies et leurs parentes. On désire et on craint la guerre. On se plaint des ministres d'Angleterre et de Prusse, qui excitent les Turcs : et on les agace continuel-

(1) De hulans.

lement. Moi, qui n'ai rien à risquer, et peut-être quelque gloire à acquérir, je souhaite la guerre de tout mon cœur ; et puis je me dis : puis-je souhaiter ce qui expose à tant de malheurs ? Alors je ne le désire plus, et puis un reste de fermentation dans le sang m'y ramène : un reste de raison s'y oppose. Ah ! mon Dieu, ce que c'est que de nous ! Il faudra peut-être vous écrire :

> Mais à revoir Paris je ne dois plus prétendre :
> Dans la nuit du tombeau je suis prêt à descendre.

Cette idée m'afflige, car je veux vous revoir. Vous me tenez plus à cœur que tout Paris ensemble. Ne voilà-t-il pas qu'on vient me chercher pour un feu d'artifice qui coûte, m'a-t-on dit, 48 000 roubles ? Ceux de votre conversation ne sont pas si chers, et ne laissent pas après eux la tristesse et l'obscurité qui suit toujours les autres : j'aime mieux vos girandoles et votre genre de décoration.

SA VIE A PARTHENIZZA (1)

A LA MÊME

De Parthenizza.

C'est sur la rive argentée de la mer Noire ; c'est au bord du plus large des ruisseaux, où se jettent tous les torrents du Tczetterdan ; c'est à l'ombre des deux plus gros noyers qui existent et qui sont aussi anciens que le monde ; c'est au pied du rocher où l'on voit encore une colonne, triste reste du temple de Diane, si fameux par le sacrifice d'Iphigénie ; c'est à la gauche du rocher d'où Thoas précipitait les étrangers ; c'est enfin dans le plus beau lieu et le plus intéressant du monde que j'écris ceci.

Je suis sur des carreaux et un tapis turc, entouré de Tartares qui me regardent écrire, et lèvent les yeux d'admiration comme si j'étais un autre Mahomet.

Je découvre les bords fortunés de l'antique Idalie, et les côtes de la Natolie ; les figuiers, les palmiers, les oliviers, les cerisiers, les abricotiers, les pêchers en fleurs répandent le

(1) Lettre écrite au cours du même voyage que la précédente.

plus doux parfum, et me dérobent les rayons du soleil ; les vagues de la mer roulent à mes pieds des cailloux de diamants. J'aperçois derrière moi, au travers des feuillages, les habitations en amphithéâtre de mes espèces de sauvages fumant sur leurs toits plats, qui leur servent de salon de compagnie ; j'aperçois leur cimetière qui, par l'emplacement que choisissent toujours les Musulmans, donne une idée des Champs Élysées. Ce cimetière-ci est au bord du ruisseau dont j'ai parlé ; mais à l'endroit où les cailloux arrêtent le plus sa course, ce ruisseau s'élargit un peu à mi-côte, et coule ensuite paisiblement au milieu des arbres fruitiers, qui prêtent aux morts une ombre hospitalière. Leur tranquille séjour est marqué par des pierres couronnées de turbans, dont quelques-uns sont dorés, et par des espèces d'urnes cinéraires en marbre, mais grossièrement construites. La variété de tous ces genres de spectacles, qui donnent à penser, me dégoûte d'écrire : je m'étends sur mes carreaux, et je réfléchis.

Non: tout ce qui se passe dans mon âme ne peut se concevoir ; je me sens un nouvel être. Échappé aux grandeurs, au tumulte des fêtes, à la fatigue des plaisirs et aux deux Majestés Impériales de l'Occident et du Nord, que j'ai laissées de l'autre côté des montagnes, je jouis enfin de moi-même. Je me demande où je suis, et par quel hasard je me trouve ici ; et, s'en m'en douter, je fais une récapitulation de toutes les inconséquences de ma vie.

Je m'aperçois que, ne pouvant être heureux que par la tranquillité et l'indépendance, qui sont en mon pouvoir, et porté à la paresse du corps et de l'esprit, j'agite l'un sans cesse par des guerres, ou des inspections de troupes, ou des voyages, et que je dépense l'autre pour des gens qui souvent n'en valent pas la peine. Assez gai pour moi, il faut que je me fatigue à l'être pour ceux qui ne le sont pas. Si je suis un instant occupé de cent choses qui me passent par la tête dans une minute, ils me disent : *vous êtes triste*, c'est de quoi le devenir ; ou bien : *vous vous ennuyez*, c'est de quoi me rendre ennuyeux.

Je me demande pourquoi, n'aimant ni la gêne, ni les honneurs, ni l'argent, ni les faveurs, étant tout ce qu'il faut pour n'en faire aucun cas, j'ai passé ma vie à la cour dans tous les pays de l'Europe.

Je ne me rappelle que des espèces de bontés paternelles de l'empereur François Ier, qui, aimant les jeunes gens bien étourdis, m'avait d'abord attaché à lui. A sa mort, je me croyais, quoique très jeune, un seigneur de la vieille cour, et j'étais déjà prêt à critiquer la nouvelle, sans la connaître, lorsque je m'aperçus que le nouvel empereur savait aussi être aimable, et avoir des qualités qui font qu'on cherche plutôt son estime que sa faveur !

Certain qu'il n'aimait pas à marquer de préférences, je pus me livrer à mon penchant pour sa personne, et, tout en blâmant la trop grande rapidité de ses opérations, j'en admirai plus des trois quarts, et je louerai toujours les bonnes intentions d'un génie aussi actif que fécond.

Envoyé à la cour de France dans l'âge le plus brillant et dans l'occasion la plus brillante, avec la nouvelle d'une bataille gagnée, je ne voulais plus y retourner. Le hasard fait arriver M. le comte d'Artois dans une garnison voisine de celle où j'inspectais des troupes.

J'y vais avec une trentaine de mes officiers autrichiens bien tournés ; il nous regarde, m'appelle, et commençant en frère de roi, il finit comme s'il était le mien ; on boit, on joue, on rit : libre pour la première fois, il ne savait comment profiter de cette liberté. Ce premier jet de la gaîté et de la pétulance de la jeunesse me charme. La franchise et son bon cœur, qui paraissent toujours dant tout, me séduisent. Il veut que j'aille le voir à Versailles. Je lui dis que je le verrai à Paris, lorsqu'il y viendra ; il insiste, parle de moi à la reine, qui m'ordonne de venir. Les charmes de sa figure et de son âme, aussi belles et aussi blanches l'une que l'autre, et l'attrait de la société m'y font passer tous les cinq mois de suite, sans m'éloigner presque un moment. Le goût pour le plaisir me conduit à Versailles ; la reconnaissance m'y ramène.

Le prince Henri parcourt des champs de bataille. La philosophie et l'instruction militaire nous rapprochent, je l'accompagne ; j'ai le bonheur de lui convenir. Bontés de sa part, empressement de la mienne, grande correspondance et rendez-vous à Spa et à Reinsberg.

Un camp de l'empereur en Moravie attire le roi de Prusse d'alors et celui d'aujourd'hui. Le premier s'aperçoit de mon adoration pour les grands hommes et m'attire à Berlin. Des relations avec lui et des marques d'estime et de bonté de la part du premier des héros me comblent de gloire. Son neveu, le prince royal d'alors, vient à Strasbourg. Quelques petites commissions de confiance nous avaient liés de loin ; et dans un pays si éloigné, malgré la différence des intérêts, des services et du rang, les étrangers se rapprochent. J'échappe aux tendres sentiments de deux autres rois du Nord. La petite tête de l'un dérange bientôt tout à fait la tête trop vive de l'autre, et me sauve des fadeurs sans fin qu'on me promettait dans le voyage que je devais faire à Copenhague et à Stockholm. J'en suis quitte pour donner des fêtes à l'un des rois et pour en recevoir de l'autre.

Mon fils Charles épouse une jolie petite Polonaise. Sa famille nous donne du papier, au lieu d'argent comptant : c'étaient des prétentions sur la cour de Russie. Je me fais, on me fait Polonais en passant. Il me prend envie de plaire à la nation, rassemblée pour une diète ; la nation m'applaudit. Je parle latin ; j'embrasse et caresse les moustaches. J'intrigue pour le roi de Pologne. Il est bon, aimable, attirant ; je lui donne des conseils, me voilà tout à fait lié avec lui.

J'arrive en Russie ; la première chose que j'y fais, c'est d'oublier le sujet de mon voyage, parce qu'il me paraît peu délicat de profiter de la grâce avec laquelle on me reçoit chaque jour, pour obtenir des grâces. La simplicité confiante et séduisante de Catherine le Grand me captive ; et c'est son génie qui m'a conduit dans ce séjour enchanté.

Je le parcours des yeux ; je laisse reposer mon esprit, qui vient de me prouver que je n'avais point de tête, en me retraçant l'enchaînement de circonstances qui m'ont toujours fait faire ce que je ne voulais pas.

La nuit sera délicieuse. La mer, fatiguée du mouvement qu'elle s'est donné pendant le jour, est si calme qu'elle ressemble à un grand miroir, dans lequel je me vois du fond de mon cœur. La soirée est admirable, et j'éprouve dans mes idées la même clarté qui règne sur le ciel et sur l'onde.

Pourquoi, me dis-je à moi-même, suis-je occupé à méditer sur les beautés de la nature, plutôt que d'en jouir dans le doux repos dont je suis idolâtre ? c'est que je m'imagine que ce lieu-ci m'inspirera, et qu'au milieu de tant d'extravagances il me viendra peut-être une pensée qui fera du bien ou du plaisir à quelqu'un.

C'est peut-être ici qu'Ovide écrivait ; peut-être il était assis où je suis. Ses élégies sont de Pont : voilà le Pont-Euxin ; ceci a appartenu à Mithridate, roi de Pont ; et comme le lieu de l'exil d'Ovide est assez incertain, j'ai plus de droit à croire que c'est ici qu'à Carantschebes, ainsi que le prétendent les Transilvains.

Leur titre à cette prétention c'est : *Cara mia sedes,* dont ils s'imaginent que la prononciation corrompue a fait le nom que je viens de citer. Oui, c'est Parthenizza, dont l'accent tartare a changé le nom grec, qui était Parthenion, et voulait dire vierge ; c'est ce fameux cap Parthenion où il s'est passé tant de choses : c'est ici que la mythologie exaltait l'imagination. Tous les talents au service des dieux de la fable exerçaient ici leur empire. Veux-je un instant quitter la fable pour l'histoire ? Je découvre Eupatori, fondée par Mithridate : je ramasse ici près, dans ce vieux Cherson (1), des débris de colonnes d'albâtre ; je rencontre des restes d'aqueducs et des murs qui me présentent une enceinte aussi grande à la fois que Londres et Paris. Ces deux villes passeront comme celles-là. Il y avait les mêmes intrigues ; chacun croyait y faire une grande sensation dans le monde ; et le nom même des pays, défiguré par celui de Tartarie et de Crimée, est tombé dans l'oubli : belle réflexion pour messieurs les importants ! Et, en me retournant, j'approuve la paresse de mes musulmans, assis, les bras et les pieds croisés, sur leurs toits. Je trouve parmi eux un Albanais qui sait un peu l'italien ; je lui dis de leur demander s'ils sont heureux, ou si je puis leur être utile, et s'ils savent que l'impératrice me les a donnés. Ils me font dire qu'ils savent, en général, qu'on les a partagés et qu'ils ne comprennent pas trop ce que cela veut dire ; qu'ils sont heureux jusqu'à présent ; que, s'ils cessent de l'être, ils s'embarqueront sur les deux navires qu'ils ont construits eux-mêmes et qu'ils se réfugieront chez les Turcs, dans la Roumanie. Je leur fais dire que j'aime les paresseux, mais que je veux savoir de quoi ils vivent. Ils me montrent quelques moutons couchés sur l'herbe, ainsi que moi ; je bénis les paresseux. Ils me montrent leurs arbres à fruit, et me font dire que lorsque la saison de les cueillir est arrivée, le Kaimakan vient de Barczisarai pour en prendre la moitié : chaque famille en vend pour deux cents francs par an ; et il y a quarante-six familles tant à Parthenizza qu'à Nitika, autre petite terre qui m'appartient, et dont le nom grec signifie *victoire.* Je bénis les paresseux. Je leur promets d'empêcher qu'on ne les tourmente. Ils m'apportent du beurre, du fromage et du lait qui n'est point du tout de leurs juments, comme chez les Tartares. Je bénis les paresseux et je retombe dans mes réflexions.

(1) Cherson ou Chersonèse, ville en ruines.

Encore une fois, que fais-je donc ici ? Suis-je prisonnier turc ? Suis-je jeté sur cette côte par un naufrage ? Suis-je exilé comme Ovide ? Le suis-je par quelque cour ou par mes passions ? Je cherche et je me dis : point du tout. Après mes enfants et deux ou trois femmes que j'aime, ou crois aimer à la folie, mes jardins sont ce qui me fait le plus de plaisir au monde ; il y en a peu d'aussi beaux. Je me plais à y travailler pour les embellir encore. Je n'y suis presque jamais. Je n'y ai jamais été dans la saison des fleurs, lorsque les petites forêts d'arbustes précieux parfument l'air. Je suis à deux mille lieues de tout cela. Possesseur de terres sur les bords de l'Océan, je me trouve dans mes terres sur le bord du Pont-Euxin. Une lettre de l'impératrice m'arrive à huit cent lieues de distance. Elle se souvient de nos conversations sur les beaux temps de l'antiquité ; elle me propose de la suivre dans ce pays enchanteur, à qui elle a rendu le nom de Tauride, et, en faveur de mon goût pour les Iphigénies, elle me donne l'emplacement du temple dont la fille d'Agamemnon était prêtresse.

Oubliant enfin toutes les puissances de la terre, les trônes, les dominations, j'éprouvai tout d'un coup un de ces charmants anéantissements que j'aime tant, lorsque l'esprit se repose tout à fait, lorsque l'on sait à peine qu'on existe. Que fait l'âme alors ? Je n'en sais rien, mais ce qu'il y a de sûr au moins, c'est que son activité est suspendue, et qu'elle a la jouissance et le sentiment de son repos.

Ensuite, je fais des projets. Blasé presque sur tout ce qui m'est connu, pourquoi ne pas me fixer ici ? Je convertirai ces tartares musulmans en leur faisant boire du vin, et, donnant à ma demeure l'air d'un palais, qui sera vu de loin par les navigateurs, je bâtirai huit maisons de vignerons avec des colonnes et une balustrade qui en cachera les toits. Je dessine aussitôt ce qui aurait été exécuté incessamment sans la guerre à laquelle notre voyage de fête donna lieu.

Quel dommage, me dis-je alors, que la superstition de la religion grecque ait détruit ces beaux restes du culte des dieux, si favorables à l'imagination ! ces beaux lieux, néanmoins, réjouissent encore la vue par les blancs minarets, les longues et minces cheminées en forme d'aiguilles, et l'espèce d'architecture orientale qui donne son joli style même aux plus petites cabanes. Mes réflexions qui me retracent les ravages du temps, me font aussi penser à mes propres pertes. Je trouve que rien ici-bas ne demeure dans une stagnation parfaite, et que dès qu'un Empire ne s'élève plus, il diminue : de même que le jour qu'on n'aime pas davantage, on aime moins ! Aimer ! Quel mot ai-je prononcé ? Je fonds en larmes sans savoir pourquoi ; mais que ces larmes sont douces ! c'est un attendrissement général ; c'est un épanchement de sensibilité, sans en pouvoir fixer l'objet. Dans ce moment, où tant d'idées se croisent à la fois, je pleure sans être malheureux ; mais, hélas ! me dis-je en m'adressant à quelques personnes auxquelles je pense souvent, peut-être suis-je triste, peut-être l'êtes-vous aussi d'être séparées de moi par des mers, par des déserts, des remords, des parents, des importuns et des préjugés ? Peut-être suis-je triste pour vous, qui m'avez aimé sans me le dire, et que j'ai quittées faute de le deviner ? Peut-être le suis-je pour vous, esclaves superstitieuses de tant de devoirs ?

Mes larmes ne tarissent pas. Est-ce le pressentiment de quelque perte déchirante que je dois éprouver un jour ? J'éloigne cette idée affreuse ; je prie Dieu et je me dis : cette mélancolie vague, telle qu'on la ressent dans la jeunesse, m'annonce peut-être un objet céleste, digne enfin de mon culte et qui fixera pour toujours ma carrière. Il me semble que l'avenir ait envie de se dévoiler à moi. L'exaltation et l'enthousiasme tiennent de si près au pouvoir de rendre des oracles !

Hélas ! que ne puis-je de même me retracer les souvenirs de l'amitié ? J'ai des amis plus qu'un autre, parce que, n'ayant des prétentions à rien dans aucun genre, mon histoire n'a rien d'extraordinaire, ni mon mérite rien d'alarmant. Je rencontre partout de ces amis de société, avec qui l'on soupe et l'on joue toute la journée ; mais en ai-je trouvé qui se soit assez occupé de moi pour que je lui aie de l'obligation ? Je meurs d'envie d'en avoir aux autres ; ils m'en ont eu quelquefois, et quoiqu'ils l'aient peu senti, j'ai encore le plaisir de faire de temps en temps des ingrats. La peur de l'être en moi-même me fait préférer souvent l'excès contraire. Et un peu de duperie dans ce genre me paraît pardonnable. Sans pleurer sur l'humanité, sans aimer ni haïr trop les hommes, puisque haïr est fatigant, je ne suis pas plus content d'eux que je ne le suis de moi. Mais, en m'examinant, je ne me trouve qu'une bonne qualité : c'est d'être bien aise de ce qui arrive aux autres.

Je juge le monde et le considère comme les ombres chinoises, en attendant le moment où la faux du temps me fera disparaître. Neuf ou dix campagnes que j'ai faites, une douzaine de batailles ou d'affaires que j'ai vues, viennent ensuite se présenter à moi comme un songe. Je pense au néant de la gloire, qu'on ignore, qu'on oublie, qu'on envie, qu'on attaque, et qu'on révoque en doute ; et une partie de ma vie pourtant, me dis-je à moi-même, s'est passée à chercher à la perdre, cette vie, en courant après cette gloire. Je n'attaque pas ma valeur, elle est peut-être assez brillante ; mais je ne la trouve pas assez pure : il y entre de la charlatanerie. Je travaille trop pour la galerie. J'aime mieux la valeur de mon cher bon Charles, qui ne regarde pas si on le regarde. Je m'examine encore. Je me trouve une vingtaine de défauts ; ensuite je pense au néant de l'ambition. La mort m'a enlevé ou m'enlèvera bientôt la faveur de quelques grands hommes de guerre et de quelques grands souverains. Le caprice, l'inconstance, la méchanceté me feront perdre mes espérances. L'intrigue, m'éloignant de tout, me fera oublier des soldats qui, avec *quelque plaisir*, pourraient *entendre encore la voix de leur vizir.* Sans regret pour le passé, ni crainte pour l'avenir je laisse aller mon existence au courant de ma destinée.

Après m'être bien moqué de mon peu de mérite et de mes aventures de cour et d'armée, je m'applaudis de n'être pas encore pire ; je me félicitai surtout du grand talent de tirer parti de tout pour mon bonheur.

Je me jugeais, je me voyais aussi tel que je suis dans cette vaste mer, qui réfléchissait mon âme comme une glace réfléchit les traits du visage. Déjà les voiles de la nuit commencent à obscurcir le jour : le soleil est attendu sur l'horizon de l'autre hémisphère. Les moutons qui paissent auprès de mon tapis de Turquie appellent les Tartares, qui descendent gravement de leur toit pour les enfermer à côté de leurs femmes, qu'ils ont tenues cachées tout le long du jour. Les crieurs appellent à la mosquée du haut de leurs minarets. Je cherche de la main gauche la barbe que je n'ai pas ; j'appuie ma main droite sur mon sein, je bénis les paresseux et je prends congé d'eux, en les laissant aussi étonnés de me voir leur maître que d'apprendre que je voulais qu'ils fussent toujours le leur.

Je recueille mes esprits qui avaient été si épars, je rassemble au hasard mes pensées incohérentes. Je regarde autour de moi avec attendrissement ces beaux lieux que je ne reverrai jamais et qui m'ont fait passer la journée la plus délicieuse de ma vie. Un vent frais, qui s'éleva tout d'un coup, me dégoûta de la chaloupe qui devait me mener par mer à Théodosie ; je monte sur un cheval tartare, et, précédé de mon guide, je me replonge dans les horreurs de la nuit, des chemins, des torrents, pour repasser les fameuses montagnes et retrouver, au bout de quarante-huit heures, **Leurs Majestés Impériales à Carassbazar.**

UN SOLDAT FRANÇAIS (1)

A LA MÊME

Ce 1ᵉʳ août 1788.

... Je vois un phénomène de chez vous, un joli phénomène. Un Français de trois siècles. Il a la chevalerie de l'un, la grâce de l'autre et la gaîté de celui-ci. François Iᵉʳ, le grand Condé et le maréchal de Saxe auraient voulu un fils comme lui. Il est étourdi comme un hanneton au niveau des canonnades les plus vives et les plus fréquentes, bruyant, chanteur impitoyable, me glapissant les plus beaux airs d'opéra, fertile en citations les plus folles au milieu des coups de fusil, et jugeant néanmoins de tout à merveille. La guerre ne l'enivre pas, mais il y est ardent d'une jolie ardeur, comme on l'est à la fin d'un souper. Ce n'est que lorsqu'il porte un ordre, et donne son petit conseil, ou prend quelque chose sur lui, qu'il met de l'eau dans son vin. Il s'est distingué aux victoires navales que Nassa a remportées sur le capitan-pacha : je l'ai vu à toutes les sorties des janissaires et aux escarmouches journalières avec les spahis : il a déjà été blessé deux fois. Toujours Français dans l'âme, il est Russe pour la subordination et pour le bon maintien. Aimable, aimé de tout le monde, ce qui s'appelle un joli Français, un joli garçon, un brave garçon, un seigneur de bon goût de la cour de France : voilà ce que c'est que Roger de Damas (2).

(1) Ce croquis si vivant est tiré de la troisième des *Lettres sur la dernière guerre des Turcs.*

(2) Joseph-Élisabeth-Roger, comte de Damas d'Antigny (1765-1823). Il avait donc vingt-trois ans lorsque le prince de Ligne le dépeignait si brillamment

EXCUSES

A CATHERINE II

Vienne, 1790.

Madame,

Je ne suis pas plus content que de raison de la lettre de Votre Majesté Impériale, sur une indiscrétion prétendue : ce reproche qu'elle me fait revient un peu trop souvent. Il ne faut pas bouder un homme qui n'a pas quatre cent mille hommes à lui envoyer pour s'expliquer.

Un jour un de nos très aimables roués, le baron de Bezenval, qui s'était enivré avec M. le duc d'Orléans le père mettait le feu à son escalier à Bagnolet. Celui-ci voulut l'en empêcher : « Voilà ce que c'est que les princes, dit-il ; ils sont toujours princes, on ne peut pas jouer avec eux. »

Mais moi, Madame, je n'ai rien brûlé ; je me suis laissé aller, apparemment sans le savoir, au plaisir de laisser admirer vos lettres par-dessus mon épaule.

Cependant, Madame, j'en suis désolé si cela déplaît à Votre Majesté Impériale. Ce n'est pourtant pas au grand homme que je demande pardon, c'est à une grande impératrice : quelle épigramme ! Votre Majesté me la pardonnera-t-elle ? N'importe, je me suis vengé ; et me voilà encore à ses pieds avec tout mon fanatisme pour Catherine-le-Grand.

à la marquise de Coigny. Il servait dans l'armée russe où il avait été admis grâce, précisément, à l'influence du prince, à qui il s'était présenté comme un soldat désireux de se battre et par conséquent de prendre part à la guerre entre les Russes et les Turcs, la seule qu'il y eût alors en Europe. Il y montra la plus grande bravoure. Revenu en France, il fut aide de camp du comte d'Artois, qu'il suivit pendant l'émigration ; il rentra en France de nouveau, à la Restauration, suivit Louis XVIII à Gand pendant les Cent Jours et revint avec les Bourbons.

TABLE

Corbeil. — Imprimerie Crété.